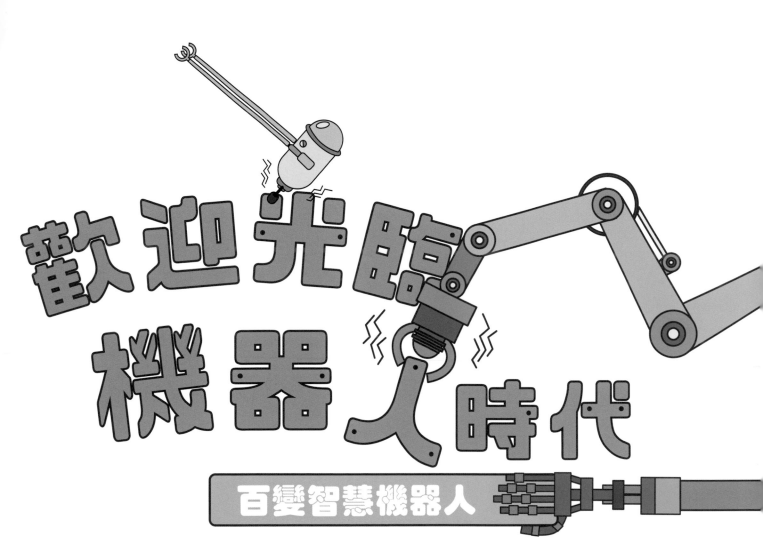

歡迎光臨機器人時代

百變智慧機器人

致謝

工研院機械所
李祖聖教授（成大電機系）
李敏凡副教授（台科大自動化及控制研究所）
林沛群教授（台大機械系）
郭振華教授（台大工程科學及海洋工程學系）
黃漢邦教授（台大機械系）
楊谷洋教授（交大電機系）

(以上依姓名筆劃排序)

目錄 CONTENTS

代序：迎接機器人時代的來臨！

楊谷洋 | 交通大學電機工程學系教授

機器人現今可是個火熱的議題，環繞著它充滿了各種想像，將來會不會有機器人管家幫我們打理生活起居、準備三餐呢？真的好想有個像哆啦A夢的玩伴陪著我們一起成長，當然那個神奇口袋是一定要的啦！又有沒有可能出現像機器戰警一樣的「機器人」來幫忙辛苦的警察叔叔、阿姨維持治安呢？在此同時，我們對於機器人的能力也會有許多的疑問，它們會有感情嗎？能擁有像人類一樣的智慧嗎？而萬一有一天機器人的能力超過我們，有沒有可能反過來統治人類呢？機器人真的是讓我們既期待、又怕受傷害，而這些對機器人的想像終究是遙不可及的幻想，還是在不久的將來真有可能實現呢？

如果想要回答前面的問題，就讓我們先以工程觀點來看一看機器人到底涉及什麼樣的科技，它和人類的主要差別又會在哪些地方呢？維基百科對於機器人是這麼說的，「機器人乃是藉由電腦程式或電子電路所運作之自主或半自主式之機電系統，常由於具有近似生物的外觀或足以展現自主性的行為讓人感覺它具有智慧或自己的想法」。這兩句話明白指出，雖然我們常常拿機器人與人相互比較，但它不折不扣就是個機器，並不是人。而機器人作為一種高科技產品，它的特別之處又在哪裡呢？原來就在於它擁有較高的人工智慧、行動能力、以及在面對未知環境時較佳的自主性，一個簡單的譬喻，機器人就是部能夠靈活移動、會聽說讀寫的電腦吧。

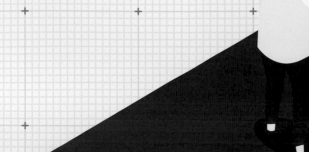

有些時候，工程師會賦予機器人類似人類或是動物的外表或行為，讓它們看起來比較卡哇伊、容易親近些，但是這些外在形象的改變，其實都是很表面的。事實上，由於機器人的決策與控制能力是來自屬於數位邏輯的電腦等運算機制，而不是具生命本質的大腦，特別是機器人不具有像人類一樣的意識，根本不會有「自己的想法」，譬如說，我們每個人都是覺得自己是獨一無二、與眾不同吧，這就是所謂的自我意識，但機器人可就不具有如此的自覺，比方說，機器人應該不至於會去羨慕或嫉妒另一部機器人比較漂亮或聰明吧。機器人不具自我意識的這項特質讓工程師在開發具有情緒或感情機器人時傷透腦筋，因為機器人天生就是不帶感情的呀！

當我們了解到機器人的特性以及它與人類相似、相異之處之後，也就比較容易掌握機器人未來的

發展與可能面臨的挑戰，而即使機器人外在樣貌與內在思維與人類大不相同，但這並不代表機器人就沒有能力學習與進步，現今，隨著電機、資訊、機械、材料等領域的高度發展，機器人也迅速的成長，由工業機器人、服務機器人到醫療、救災、教育、娛樂機器人等，各種不同用途、形式、與功能的產品一一推出，而其活動的場域，也由井然有序的工廠，逐步走入我們的社會與家庭，也許在不久的將來，微軟創辦人比爾‧蓋茲所預測，每個人家中都有機器人這樣的夢想很快就會實現呢！

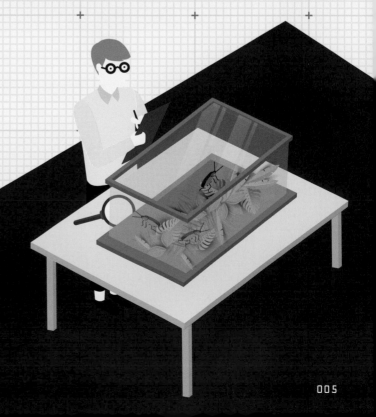

PART 1

RoboCup比賽現場

加油啊！

啪噠

哇，跌倒被絆到來不及爬起來，要被抬出場了。

搞什麼啊，碰一下就倒了，

我還以為像動畫的機器人那麼帥呢。

仁傑你在說什麼呀，別看它們都長一個樣，這些可是非常先進的機器人了呢！

動畫裡面那些只是想像的。

既然它們都一樣，是有什麼好比的呢？

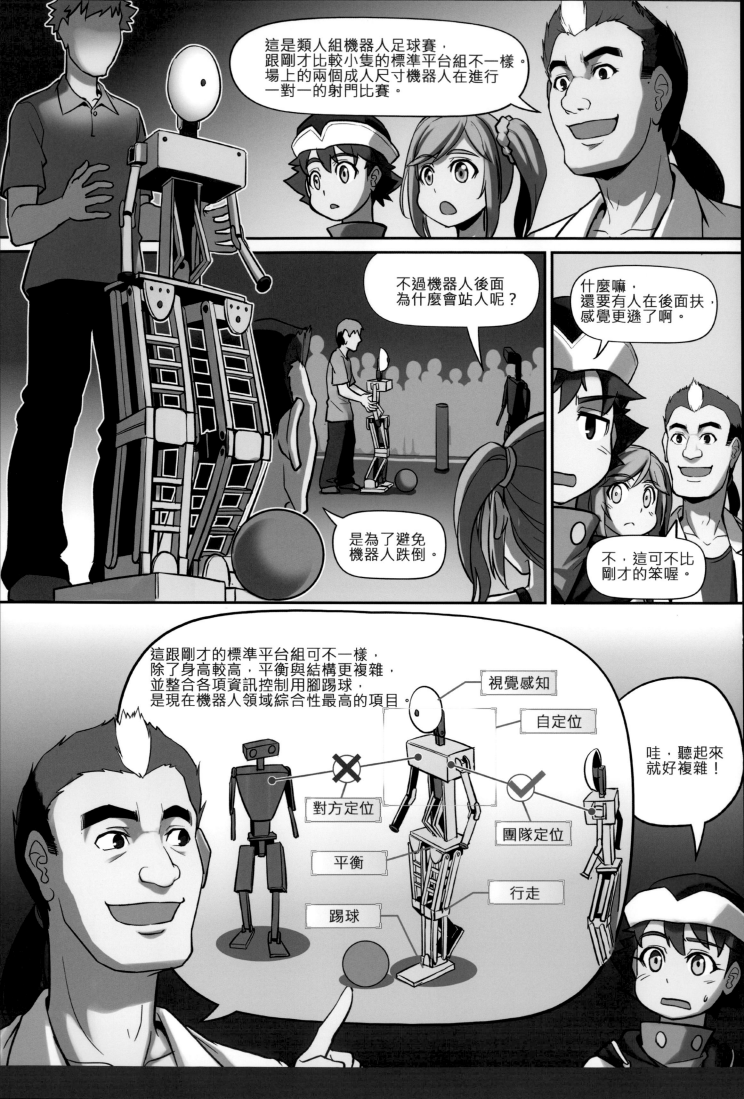

原來跑到這裡了，真是不好意思。

是Dr.Lin啊，正好提到你的機器人呢。

不過它長得好奇怪啊。

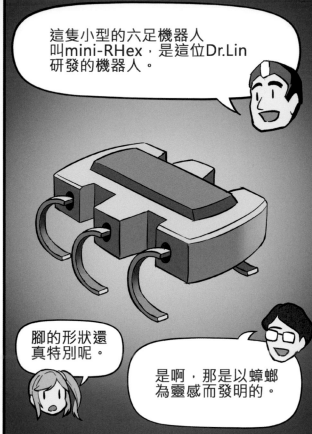

這隻小型的六足機器人叫mini-RHex，是這位Dr.Lin研發的機器人。

腳的形狀還真特別呢。

是啊，那是以蟑螂為靈感而發明的。

嘰！

不過這機器人能做什麼呢？

別那麼慌亂，那只是機器人啊。蟑螂可是很強大的物種呢。

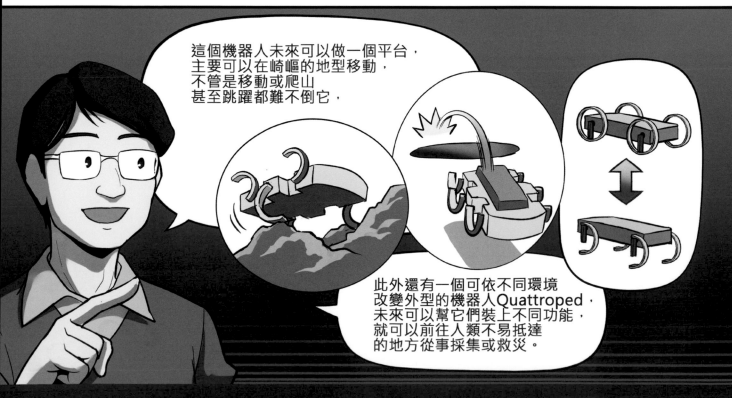

這個機器人未來可以做一個平台，主要可以在崎嶇的地型移動，不管是移動或爬山甚至跳躍都難不倒它，

此外還有一個可依不同環境改變外型的機器人Quattroped，未來可以幫它們裝上不同功能，就可以前往人類不易抵達的地方從事採集或救災。

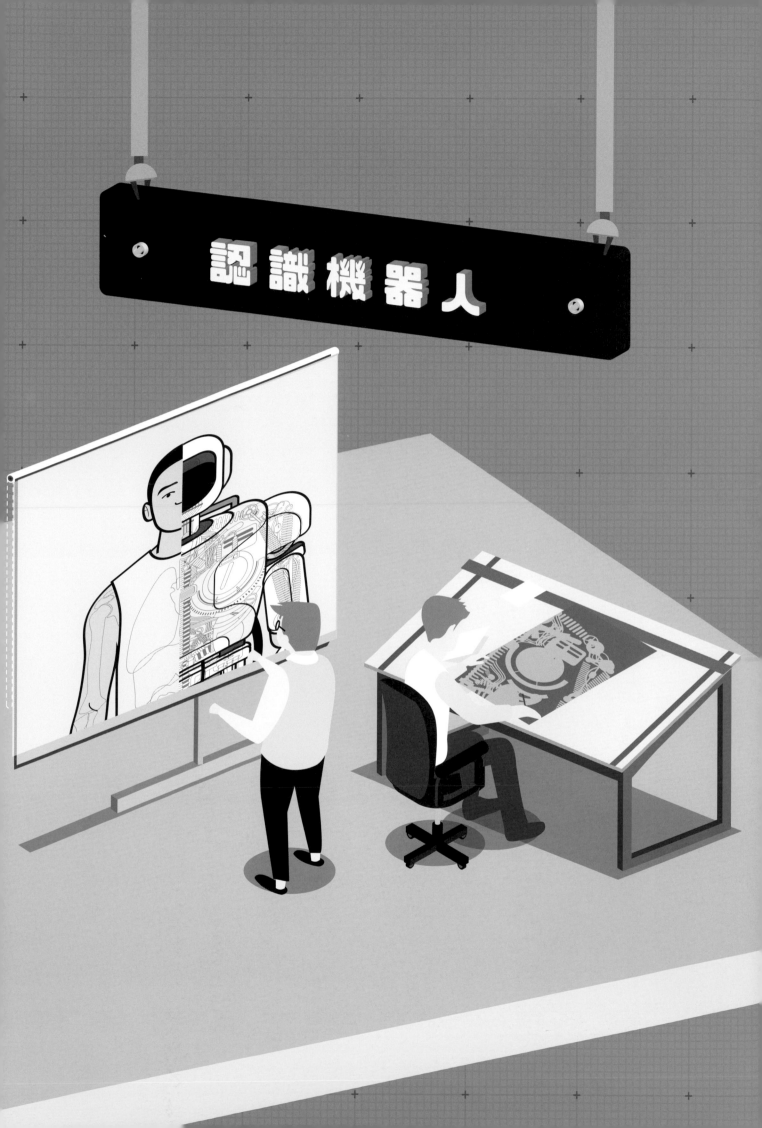

誰是機器人？

提到機器人，相信你一定不陌生。在許多大受歡迎的科幻電影、卡通當中，機器人都擔任了重要的角色：《英雄天團》裡，胖胖的杯麵是一個溫柔善良又懂得醫術的機器人，《原子小金剛》則是外表跟人類差不多，但其實是擁有超強功能的機器人，不僅腳底配備有火箭，他還有超強聽覺，甚至能一眼就看出對方是好人還是壞人。《魔鬼終結者》的機器人，外表是個不折不扣的人類，但實際上卻是從未來到現在世界中，企圖消滅人類的可怕機器人殺手。而永遠可以從口袋裡拿出各種法寶、造型超可愛的《哆啦A夢》，同樣是來自未來世界，但他是一隻機器貓，這樣可以算是一種機器人嗎?要成為一個機器人，是否一定必須是人形？又必須要具備哪些條件？

回答這個問題之前，我們先來看看早期人們對於機器人的想像是如何?早在十八世紀的歐洲，就已經出現機器人的概念，鐘錶師傅利用齒輪與發條，製作出會執行特殊工作的人偶，這些娃娃會寫字、甚至彈琴。日本的江戶時代，也同樣有工匠製作出非常精緻的機關人偶，例如:自動請人喝茶的奉茶童子，還有會連續射箭的射箭童子，這些可以稱之為最早的機器人雛形，但都還不符合現代機器人的標準。

現代機器人英語稱作ROBOT，有趣的是，這個詞是來自一齣由捷克劇作家卡雷爾•查別克所創作的舞台劇「羅梭的全能機器人」。在這齣戲劇中，那些從工廠裡製作出來的「人造人」，就被稱為ROBOTA。日後研究機器人領域的科學家，便借用劇中的名詞，把他們所創造出來的機器人稱做ROBOT。要成為一個現代機器人必須具備哪些條件？科學家們認為機器人一定要符合兩個特質。首先，它必須會動，而且要動得很靈活。第二，它必須具備有可以獨力面對環境變化的能力，也就是說，它要能判斷環境的狀況，來決定自己所要採取的行動，也就是要有自主性。聽起來是不是跟人類很像呢？

會端茶、點頭的奉茶童子

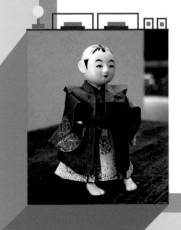

誕生在日本江戶時代的奉茶童子，是一個會移動、走到定點停下來、奉茶之後再走回原地的人偶。他奇妙的點頭請人喝茶，等待喝完茶放回茶杯後再走回原點這些感覺很有「智慧」的動作，讓人嘖嘖稱奇。不過，奉茶童子的設計完全是依靠機械動力，也就是發條來帶動身體裡精密的齒輪構造，完成這一連串的動作。沒有電腦控制，也就沒有所謂的人工智慧。以現代的眼光來看，只能稱之為自動的機關裝置，跟現代的機器人相差甚遠。但在那麼久遠的年代，這樣精巧的作品已經讓人非常驚艷，而奉茶童子的出現，也可以體會到人類很早很早就在追求機器人這個夢想。

可以動得很靈活，又具有自主性，而且還跟人類長得非常像、會跟人互動、舉手投足都跟人類很接近的機器人現在已經可以見到，但對科學家來說，不管做得多像，擁有的智慧有多高，機器人基本上還是一部機器，他的身體由機械組成，動力來自馬達跟電源，反應則來自電腦的操控，也就是人工智慧，然而它不具有意識，不會產生自己的想法。

但有沒有可能，有一天機器人身上的電腦也長出了自我意識，進而對人類造成威脅？這個疑問跟恐懼，幾乎是跟著機器人一起誕生。在前面提到「羅梭的全能機器人」這部戲劇，就是在講述機器人一開始雖然服務著人類，但最後卻叛變，結果導致人類的滅絕。在許多電影當中，我們也常常會看到機器人要不是脫離控制，反過來威脅到人類，要不然就是被壞人所控制，造成許多社會問題跟傷亡……讓大家對機器人又愛又怕。

不過現實生活中，大家倒是可以不用先擔心這麼多，至少要發生「機器人能產生自我意識」這樣的科技還沒有被發明出來，假使有機器人傷人事件，多半是設計不良或機械故障所導致，而不是機器人「故意」的。看過了機器人的定義與規範，回到最開始的問題，那麼哆啦A夢究竟是不是機器人呢？雖然他圓圓胖胖的，但他的活動非常靈活，而且可以因應大雄的各種需求，拿出法寶幫他解決問題，就算大雄做了很可惡的事情，他也不會攻擊他。還會在天敵老鼠出現時快跑，保護自己。完全符合了機器人特質，當然是個不折不扣的機器人(貓)了。

機器人三大法則

艾西莫夫 Isaac Asimov

人們自古以來就對機器人存有幻想，如果有機器人可以代替我們完成所有的事情，那一定很完美。但同時又對這樣的機器心存恐懼，因為不知道這個機器什麼時候會失控。所以在許多科幻作品裡面都把機器人描繪成會對人類造成威脅的危險怪物。不過，美國科幻小說家艾西莫夫（Isaac Asimov）卻有不同的看法，他覺得人類怎麼會製作出傷害人的物品呢？在製作這些物品時，就像是汽車之類，一定會有安全規範的準則，機器人也是一樣。於是在他的科幻小說中，就定下了「機器人三大法則」：❶機器人不得害人或因不作為而使人受到傷害。❷除非違背第一法則，機器人必須服從人類命令。❸在不違背第一及第二法則下，機器人必須保護自己。而他的機器人系列小說，便是在這樣的條件下發展出各種精采的劇情。這嚴密的三大法則後來成為大家在思考人與機器人相處時的重要依據，另外小說中創造的名詞「機器人學」(Robotics)也被學界所沿用，不愧被稱之為「現代機器人故事之父」。

誰需要機器人？

想要用機械打造一個跟人類很像的機器人，最初的想法其實很單純。ROBOTA這個詞，在捷克語中是奴隸的意思。科學家們借用這個詞，把機器人取名為ROBOT，同時也借用了原本的意思，機器人是為了服務人類而誕生。希望機器人可以分擔人類的工作，以及做一些人類做不到或者太危險的事，像是到很深的海裡進行探測，或者在很高溫的環境中工作等等。

1960年代，美國一位工程師恩格伯格（Joseph Engelberger）創辦全世界第一家機器人公司Unimation, Inc，在1961年推出了Unimate robot，這可以說是全世界第一部量產、販售，真正開始運作的機器人。不過，嚴格來說它並不是機器「人」，它是一個模仿人類手臂造型的機械「手」。這時期的機器人多半應用在工業生產上，在封閉的生產工廠中從事對人類而言高危險性的工作，例如在汽車業中從事焊接、噴漆，或者協助組裝、擺放物品等，跟人類少有接觸。經過精密的設定，它們可以做得比人類還要好。台灣最早的機器人也是為了因應工業自動化而開發的機器手臂，而且到現在還在使用喔。

真正長得跟人類相近，有頭、有手、有腳的人形機器人，是在1970-80年代之間，由日本早稻田大學加藤一郎教授的實驗室，開發出來的動態步行雙足機器人WABOT-1。這是全世界第一台可以用雙腳站立走路的機器人，而且只要對它說話，它就會產生動作，在當時可是非常轟動。從此以後，日本機器人學界在人形機器人的領域中，就一直非常出色，在全世界佔有領先的地位。

但你是否也會好奇，工業機器人是為了分擔人類的工作而產生，但是一直到目前為止連走路要走得好，都需要花費很大工夫的人形機器人，究竟開發的目的是什麼？原來，人形機器人的研究者認為，總有一天機器人會進入人類的社會中，跟人們一同生活，所以他們的外形必須接近人類，才能產生親近感。另外也有研究者致力於製做出擬真機器人，目的是希望藉由機器人來了解人類。

機器人誕生於工業產業，今天，已經被應用到許多領域中，會幫忙做家事、協助服務客人，甚至在醫院裡幫病人開刀等等，它們跟人類的生活愈來愈接近。不過，製作一個機器人，結合了許多高科技，機器人身上的每個部分都是非常專門的研究，接下來，我們就要進入機器人的世界，了解它們的構成。

恐怖谷理論

　　機器人有許多種型態，其中有些研究人員特別鍾情於人形機器人的開發，甚至除了跟人類有一樣的行為舉止之外，也追求跟人類有一模一樣的外表。不過在設計人類外觀時，有研究者就發現，當機器人的外觀跟人類有點像但是又不怎麼像時，人類會對這樣的機器人產生好感。而一但相似度越來越高，高到75%時，在那個要像不像的階段，人們看到這樣的機器人反而會覺得毛毛的、感覺恐怖，讓好感度反而是大大降低了。不過一旦越過那個令人感覺恐怖的階段，外觀的相似度再往上增加到幾乎要跟人類一模一樣時，就像AI人工智慧電影裡的機器人，簡直跟人類外觀無異時，這時好感度又會開始向上提升。這就是由日本機器人專家森政弘所提出的恐怖谷理論。

　　他認為這是因為在人的心理反應上，當機器人不太像人的時候，大家知道那是一台機器，卻長得跟人很像，就像喜歡玩偶一樣，會去注意到機器跟人很像的部分，產生移情作用。一旦到了很像又不完全像的階段，反而引起人類注意的是那個不像人的部分，就會令人感覺不舒服。一旦跨越這個階段，就沒問題了。這個理論成為製作擬真人形機器人時的重要依據。看來，機器人要進入人類社會有許多關卡要克服，外觀也是一個重要的挑戰！

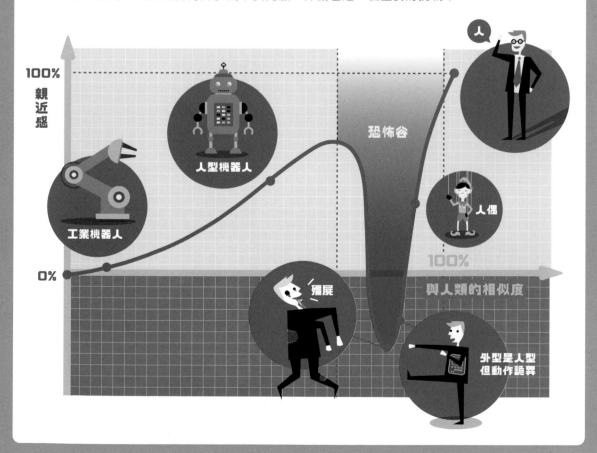

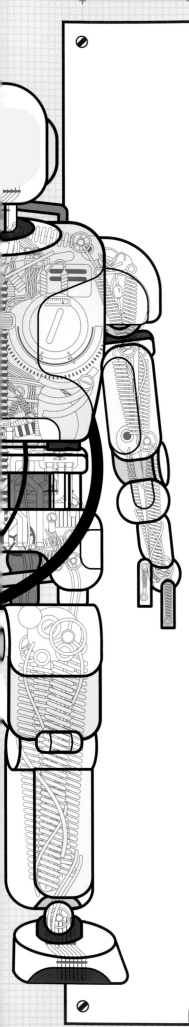

在動起來之前……

還記得前面提到機器人必須要符合的兩個特質嗎?那就是移動性與自主性。那麼,科學家是怎麼讓機器人做到這兩點的呢?

讓機器人動起來

　　該怎麼讓機器人動起來,只要觀察我們身體的運動方式,大概就可以了解。讓我們來思考一個情境,當你伸手去拿一個放在桌上的杯子時,你是怎麼做的呢?你會舉手、向前伸出去、出力、握住杯子,然後拿起來。這個動作簡單到像反射動作一樣,幾秒鐘的時間就能完成。但是當我們進一步觀察身體的運作時,會發現那可是一個相當複雜的過程,你必須動用到關節、肌肉,當然還有你的腦袋來判斷杯子的遠近,以及該用多少力氣拿起那個杯子。

　　從拿杯子的動作,就可以發現當我們在執行一個簡單的動作時,首先要有一個會做出判斷、下達指令的大腦,要有感官去感覺周遭的環境,最後由身體的部位執行動作。當我們想讓一個機器人動起來,同樣需要具備這三個部分。

　　人體的動作主要是由四肢跟軀幹一起完成。身體裡的關節讓我們可以伸縮、旋轉、彎曲做出各種動作。機器人也是模仿人的身體構造,只是把骨骼換成機械結構。能上下或左右移動的軸,就是機器人的關節。但有關節還不夠,當我們在運動時,主要依靠肌肉組織來提供力量。而機器人靠的是驅動系統,通常是利用電力來驅動馬達,透過馬達的運轉讓機械裝置可以動作。

讓機器人有感

　　現在，讓我們把眼睛矇起來，再伸手去拿桌面上的杯子，你會怎麼做呢？伸手小心的探測桌子看能不能碰觸到杯子，碰觸到之後，去感覺杯子的大小、形狀甚至是溫度，接著用手指把杯子握住，同時感覺重量，最後施力把杯子拿起來。所以，雖然看不見，但還是有很高的機率可以正確的把杯子拿起來，靠的就是其他的感官。當然，在看得見的時候，這些動作就可以更順利了。

　　機器人在執行任務時，也需要有「感官」來幫助他們了解外在環境，進一步跟環境互動。這些「感官」就稱為「感測器」，可以把外界的狀態轉變成電流訊號，傳遞到電腦進行判讀。跟人一樣的五感──視覺、聽覺、嗅覺、味覺、觸覺等功能，目前都已經被開發出來。機器人也會根據不同的功能，裝設不同的感測器，例如有判斷施加多少力氣的力感測器、偵測距離的感測器等等。這些感測器就像人體一樣，也會相互合作，例如透過視覺感測器，加上力感測器，再加上觸覺感測器，可以讓機器人的手臂執行更機密的動作，甚至是幫忙開刀！

來點聰明才智！

　　最後，我們要談談讓機器人動起來最關鍵的部分，就是機器人的「大腦」。機器人的智慧稱作人工智慧，因為它是由人類透過電腦及程式所設計、操控的智慧。機器人跟所謂的自動系統不一樣的地方就在於機器人擁有人工智慧。輸入指令，跟著指令執行動作的系統，稱作自動系統。而機器人雖然也是由人工設定與操縱，但是它可以因應外界的變化，去學習並且做出反應。以拿東西為例，自動系統只能拿取指令設定好、固定範圍內的東西，太近或者太遠都會拿不到，所施用的力氣也是固定的，所以換成別的物品可能會被捏壞。但機器人就不一樣，他會透過力感測器、距離感測器甚至溫度、壓力等感測器，來判斷物品的遠近以及施力的大小，順利拿起物品，重點是，每一次動作的數據都會回到電腦中儲存，下一次再遇到同樣的狀況，就能很快的反應，這就是學習。

　　人工智慧除了會學習之外，還要具有推理、規劃、感知、移動和操作物體的能力，幾乎具備人類所擁有的大部分的智慧。不過這背後都還是由人類來操作控制。

接下來，我們就一起來見見機器人吧！

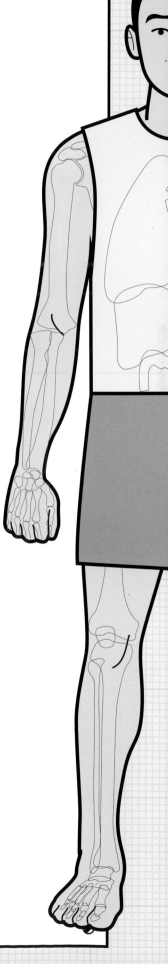

人 類 vs. 機 器 人

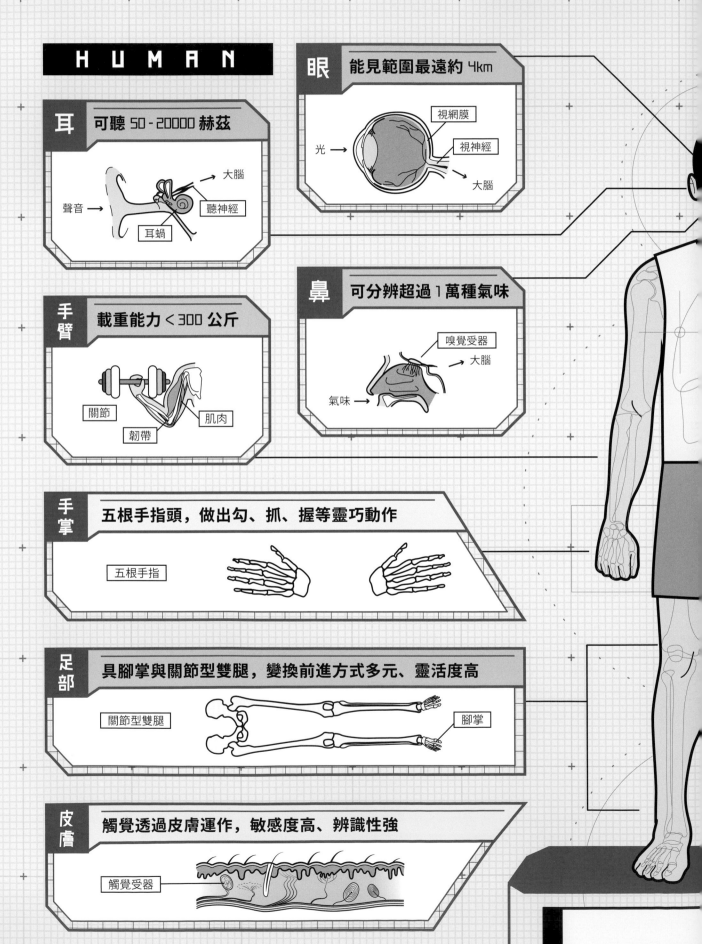

HUMAN

耳 可聽 50 - 20000 赫茲
- 聲音 → 大腦
- 聽神經
- 耳蝸

眼 能見範圍最遠約 4km
- 視網膜
- 光 → 視神經
- 大腦

手臂 載重能力 < 300 公斤
- 關節
- 韌帶
- 肌肉

鼻 可分辨超過 1 萬種氣味
- 嗅覺受器
- 大腦
- 氣味 →

手掌 五根手指頭，做出勾、抓、握等靈巧動作
- 五根手指

足部 具腳掌與關節型雙腿，變換前進方式多元、靈活度高
- 關節型雙腿
- 腳掌

皮膚 觸覺透過皮膚運作，敏感度高、辨識性強
- 觸覺受器

「機器人」為什麼能脫離制式化機械而引起人類的興趣與研究呢？
答案是，它跟人類一樣具有移動性與自主性。

機器人基本上是工程師觀察人類（其他生物）、模仿人類運動的機制，並且運用工程手法簡化或強化這些特性而創造出來的產物。因此它們的肢體運動的方式跟人類的關節類似；對外界的感知也運用跟人類感官類似的感測器，進而可以擁有五感。機器人並非人類，但它們模仿人類的特性、感受，開始在這個世界上探索。

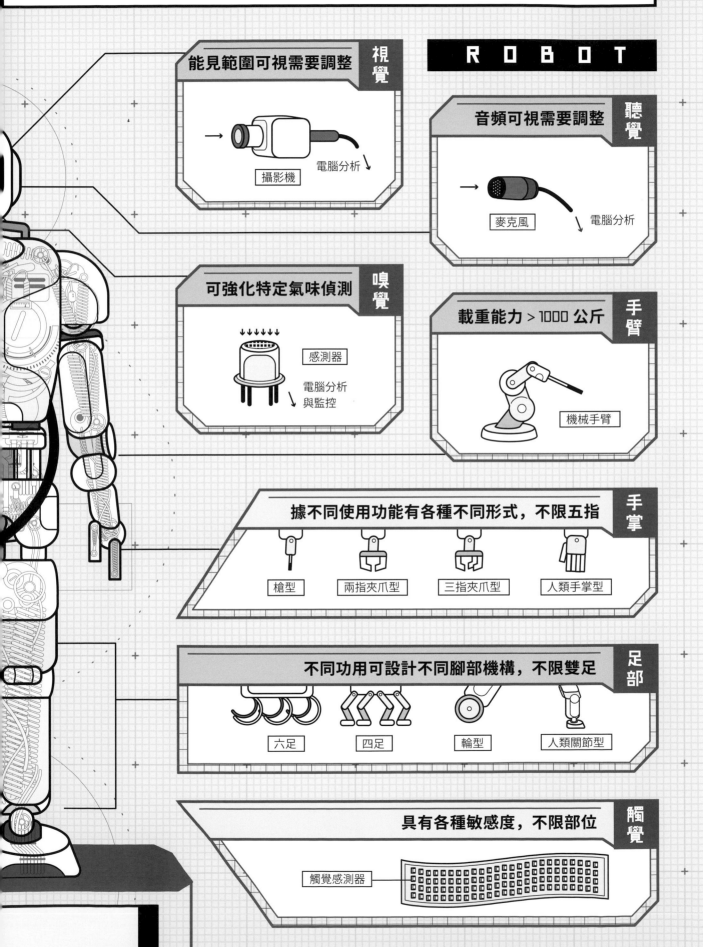

R O B O T

視覺
能見範圍可視需要調整
電腦分析
攝影機

聽覺
音頻可視需要調整
麥克風
電腦分析

嗅覺
可強化特定氣味偵測
感測器
電腦分析與監控

手臂
載重能力 > 1000 公斤
機械手臂

手掌
據不同使用功能有各種不同形式，不限五指
槍型　　兩指夾爪型　　三指夾爪型　　人類手掌型

足部
不同功用可設計不同腳部機構，不限雙足
六足　　四足　　輪型　　人類關節型

觸覺
具有各種敏感度，不限部位
觸覺感測器

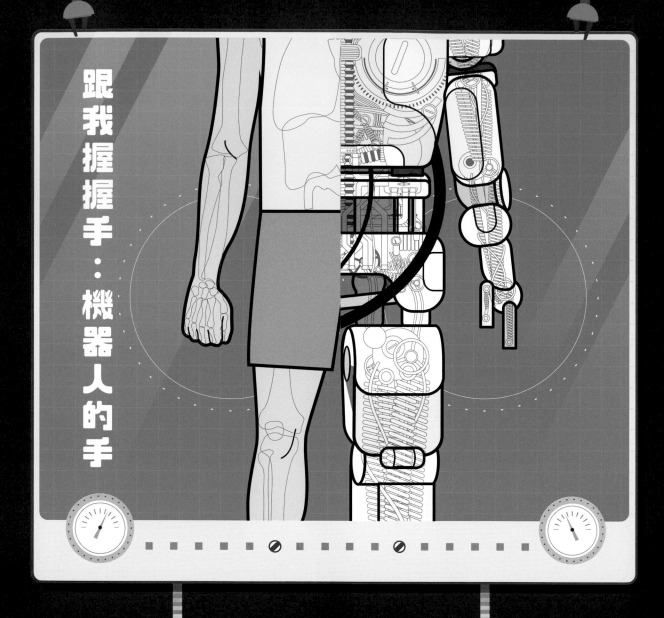

跟我握握手：機器人的手

HUMAN

ROBOT

手臂

載重能力 < 300 公斤

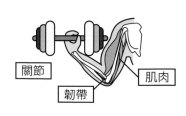

關節

韌帶

肌肉

載重能力 >1000 公斤

手臂

機械手臂

機器人發明的歷史上，最先被廣泛應用的就是手臂了，因為人類發明機器人的目的，就是希望很多事情可以請機器人來幫我們「動手」。

一起擺動手臂吧

觀察我們的手臂，要能自由的伸手去拿各種東西，手臂可以做到向前伸長、向後縮回，左右還有上下移動，除此之外，還可以轉動手腕、手肘與肩膀，做出各種動作。以一隻人類的手臂為例，總共具有七個自由度。

機器人的手臂參考人類手臂的構造，就必須也要有七組由馬達所構成的系統來完成不同的動作。最基本的構造是三個關節，每個關節上都裝設有馬達，讓手臂可以移動與旋轉，相互配合就能讓機械手臂上下、左右與前後移動。為了讓機器人可以執行更複雜的動作，或因應實際工業需求，常會設計為六軸、五軸，甚至更少的軸數。另外，現在還有多軸機械手臂，也就是擁有更多關節的手，可以把手扭成像麻花捲一樣，還能執行任務，真是太酷了！

自由度

所謂的自由度，指的是機器手臂(或腳)可以單獨活動的方向的數目，例如:可以向前、向左，就稱為兩個自由度。以人類的手臂來看，總共有三個關節帶動，能做到前後、左右、上下，還有一個扭轉的動作，因此有七個自由度。機械手臂的自由度則是由馬達數與關節來完成，要轉動一個方向就需要一個馬達，因此如果要跟人類一樣有七個自由度，不像人類只要設計三個關節就可以，機械手臂上必須加上七個馬達才行。自由度愈高，可以完成的動作就愈靈活。

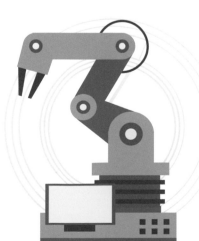

請幫我抓抓龍

兩指夾爪型

三指夾爪型

機械手臂跟人類手臂一樣，最重要的工作就是要能拿取跟操作東西。工業上的手臂負重是一個很重要的任務，所以不管是手臂或者關節都會做得很粗大，可以施加非常大的力氣，甚至可以把整台汽車給抬起來。

人類的手腕連接著手掌，精巧的手掌與手指可以握住東西、並靈活的做出各種很精細的動作。但機器手臂尤其是運用在生產上的，就不一定需要像我們的手掌這種複雜的機構。通常會根據所需要的功能，來裝設機械手臂的「手」，例如焊接用的機械手臂，就會接上焊槍，噴漆用的手臂就會接上噴漆的工具，而只要能做到夾起東西、搬運還有完成簡單加工的手掌，就稱做夾爪。

夾爪最簡單的就像是夾子一樣，用兩片平板把東西夾起來。如果要夾的物品更不規則的話，就會運用三指，像投手要投伸卡球那樣的方式，把物品夾起來。另外，機器人的手也不一定要跟人類一樣採用抓握的方式，他可以根據需要的功能，裝設強大的磁力或者真空吸力的方式，把東西吸起來，就比用抓握的方式要牢靠了。

不過，不管最後接上的是什麼，機械手臂可以擠身進入機器人的行列，是因為他是很有「智慧」的。機械手臂的身上也裝有感應器與控制系統，工程師在機械手臂的腦中，輸入要請機械手臂執行的動作的程式，機械手臂就能根據程式的設定開始動作，而且可以反覆無數次而不出錯，也不會累喔！

握握手

雖然機械手臂已經很強大了，但想要進一步製作出跟人類的手一樣，擁有複雜的手掌與手指構造並不容易。每天都在使用手的我們，並不容易感覺到手有多麼厲害，抓握東西好像是很簡單的動作，但如果仔細觀察手的構造，可能就會嚇你一大跳，因為我們的手指是由非常多的骨頭、肌肉與神經所組成，所以手指頭的自由度很高，可以靈活的完成許多複雜的動作。另外，手的表面布滿了非常多觸覺神經，所以當我們去抓握一個東西的瞬間，其實我們的大腦花了好大的力氣在處理手部傳回來的訊息，才能讓你感覺到東西的軟硬、冷熱，以及是否有抓到東西。

所以當研究人員想要用機械構造，同樣去創造出多手指的手臂，並且擁有相同的功能時，你應該不難想像那個工程有多麼浩大。目前的技術，雖然還沒辦法像人類的手那樣靈活，不過已經可以讓你跟機器人握握手，而不會捏碎你的手指頭了，未來甚至可以做到雙手互相搭配的靈活動作，到時候機器人可以完成的工作就會愈來愈多了。

眼明手快

　　以前，在生產線上的機器手臂執行的工作比較簡單，輸送帶上根據一定的規則把東西放上去，機器人就根據程式決定施加多少力氣，把東西放到正確的地方，做很規律的動作。但這幾年來，手臂也愈來愈聰明了，工程師幫機器手臂加上了「眼睛」，讓它有能力可以看，所以當你把一堆散亂的東西丟到機器手臂面前，它可以透過視覺辨識系統，找出要拿起來的東西，以及判斷那個東西距離有多遠。另外，夾爪上也裝有力的感應器，讓機器人可以根據東西的大小、位置，施加不同的力，才不會滑掉或者捏壞，還能知道東西拿起來了沒有？透過手、眼、力的協調，現在的機器手臂真正可以做到眼明手快。

機械手臂上太空

　　機械手臂是在困難環境中執行任務的好幫手，所以在太空中執行任務的艱鉅工作，現在也交給機械手臂來執行。最著名的太空機械手臂是加拿大臂，這是一個擁有六個自由度的機械手臂，安裝在太空梭上，太空人可以透過遠端遙控手臂，進行運送、移動、組裝、維修等任務。後來國際太空站上也安裝了一組加拿大臂，太空梭與太空站上的兩隻手臂可以進行互動，完成傳遞物品的任務，這個動作被人們暱稱為加拿大握手。不過有趣的是，在太空中加拿大臂是可以舉起三千多公斤物品的大力士，但是在地球上它卻連自己的馬達(約三百公斤)都舉不起來！

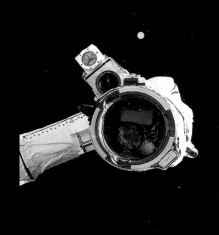
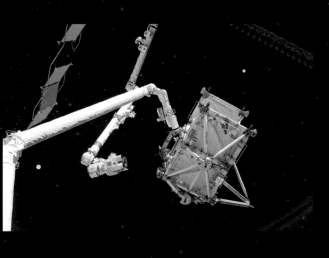

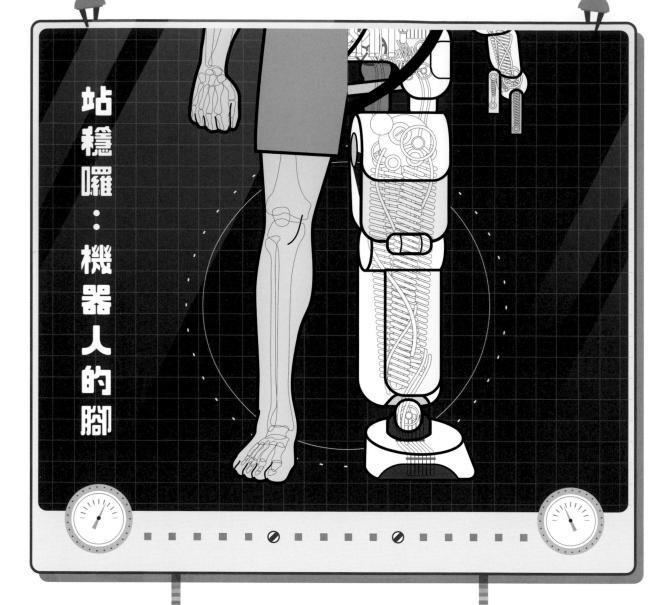

站穩囉：機器人的腳

HUMAN

足部 具腳掌與關節型雙腿，變換前進方式多元、靈活度高

關節型雙腿

腳掌

ROBOT

足部 不同功用可設計不同腳部機構，不限雙足

六足

四足

輪型

人類關節型

在正常的情況下，當我們想要從A點到B點，只要動動雙腳走過去就可以了。但要讓機器人可以動來動去，四處走動，那就得做「足」準備！

走得快又好

如果我們將人類四肢的功能簡單分類，會發現上肢也就是手的部位，主要負責的是操作，所以，我們坐在固定的地方就可以用手完成很多工作，機械手臂也一樣，通常固定在特定的位置上，進行各種操作，相對的很穩定。而下肢也就是腳的部分，最重要的功能就是移動。

機器人的腳同樣也是為了移動而設計，不過機器人的移動方式就比人有更多選擇，基本上分為腳與輪兩種形式。如果只是想讓機器人能夠在平地上順利的移動，像人類這樣的雙足構造，就不一定好用，因為雙足是非常不穩定的構造，人走路都會跌倒了，機器人要保持平衡就更困難，如果以速度來看，雙足也不一定走得快。想想看，我們平常代步的工具像是車輛，運用輪子的方式可以在平地上走得又快又好，前進、轉彎都不是問題。因此，有一部分的機器人會採用這樣輪型的腳，特別是只需要在工廠、醫院、餐廳等走平路的場所中工作的機器人，輪型腳在製作上比較簡單，走起來也比較穩定，配置在機器人身上的輪型腳設計得比汽車還靈巧，可以360度的轉彎，行走更自如。

穿越崎嶇的道路

用輪子移動雖然很理想，不過人生的道路不會都是平坦的，機器人也是。遇到凹凸不平的地板、需要爬樓梯等複雜地形，輪型腳就會很尷尬。所以這樣的場合就需要採用腳的形式。像人類或其他生物這樣由關節組成，有很高自由度的腳，也是開發的重點，而且挑戰更大。

以雙足機器人而言，機器人腳運動的方式也是模仿人腳，人的腳同樣每一隻具有七個自由度，研究人員配置了七組馬達來達成人腳的七種移動方式。不過仔細觀察我們走路的動作，會發現除了雙腿的擺動，腰的運動也很關鍵之外，最近也有研究把腰部的運動加進來，讓機器人整體行走更像人類，而不會看起來很機器。

關節型的腳最大的課題就是平衡。當機器人邁開步伐的時候，身體的重心要隨著腳的動作而移動，觀察剛剛學站跟走路的小嬰兒，就會發現一開始小嬰兒經常站起來以後搖搖晃晃，或往前走時身體跟腳的位置不是協調的很好，常常一下子就會跌坐在地上，那是因為他還不太能抓到身體的重心，以及腳施力的方式。機器人也一樣，如何讓機器人在有各種運動，像是走路、爬樓梯、爬坡、跨過障礙時保持平衡，是製作機器人腳的關鍵。

兩隻腳之外

　　同樣是腳的形式，當機器人不是人形的時候，就不一定要採取雙足步行的方式，因應機器人的不同需求，腳的配置有許多不同的選擇。有些研究人員會借鏡其他生物的運動方式，應用在機器人身上。如果從重心跟平衡上來看，昆蟲的六隻腳是最穩定的方法，因為六足昆蟲在行走時，是以三隻腳形成一個類似三角形的的模式為一個單位，就像是三輪車的架構一樣，可以很穩的往前進，複雜的地形也都能夠克服。四足運動就像是貓、狗等動物的運動方式，是兩隻腳為一組行走，雖然沒有六足動物那麼穩定，但也比人類的雙足來得容易控制。另外也有以履帶運動的機器人，另外，自然界可以看到用身體移動的蛇類，移動方式也被應用在機器人身上，因而有蛇型機器人的誕生。

四足

六足

背起所有家當

　　不管是雙足、四足或者六足的動物，腳的任務之一都是要支撐身體的重量。機器人也是一樣，當要四處移動時，就必須要把自己所需要的家當都背在身上，包含了電源系統、驅動系統、運算的電腦，別忘了還有上半身也要一起帶著走，這些重量加起來，就可能會讓機器人寸步難行。所以機器人的雙腳在製作時，負重是一個重點，強力的馬達與驅動系統，以及把其他身體單元做得更加輕巧，都是未來的課題。

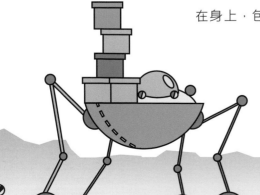

上火星的機器人

　　研究太空的科學家想要一探火星的祕密，但火星是不適合人類活動的地方，這時候就是機器人大展身手的時刻了。2011年NASA將好奇號送上太空，經過八個多月的航行，在2012年順利的降落在火星上。它肩負著探測火星上是否有水、火星的氣候跟地質狀態等任務，所以身上裝有非常高科技的儀器，它能自動避開危險，還有會採集後立即進行分析的機械手臂。好奇號之所以被稱為探測車，是因為移動方式是採取輪足，而且是六足，這樣的設計可以讓它移動自如，除此之外，它的腳也藏有玄機，上頭的胎紋其實是一組特殊的編碼。地表上的科學家能夠藉由這個特殊的胎紋判斷它走了多遠的距離。

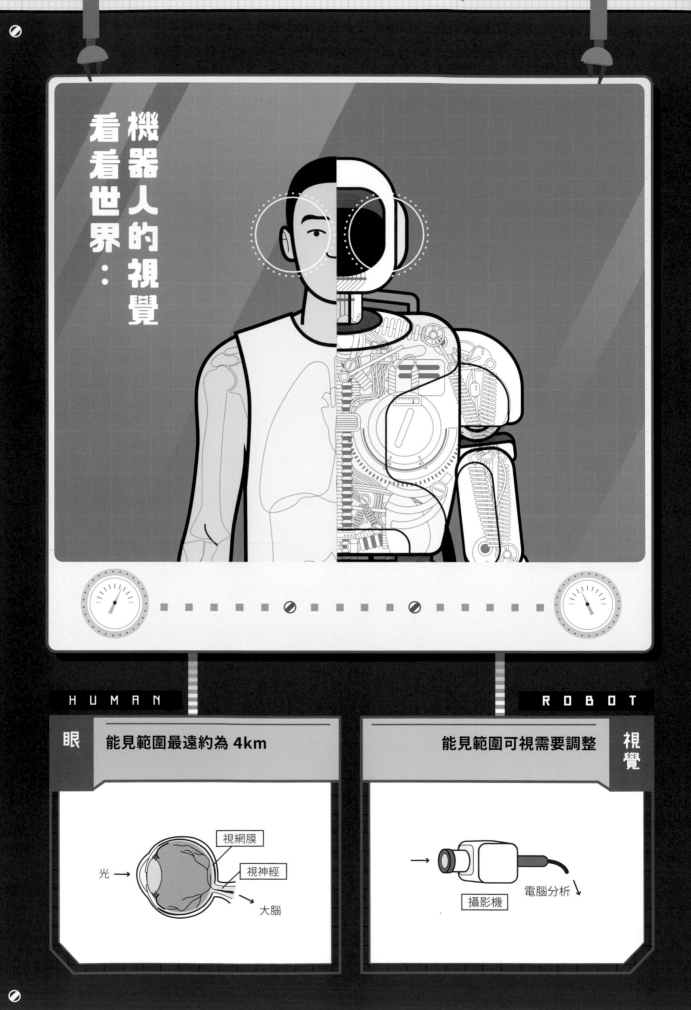

機器人的視覺
看看世界：

HUMAN

眼　能見範圍最遠約為 4km

光 →

視網膜

視神經

大腦

ROBOT

能見範圍可視需要調整　視覺

攝影機

電腦分析 ↓

人類對於環境資訊的接受與了解，有90%以上是透過視覺，跟其他感官相比，重要許多。能「看」讓我們可以做到更多事情，對機器人也是一樣。

靈魂之窗

人類的眼睛是怎麼看到外面的世界？眼睛可以說是個非常精密的光學系統。外界的光穿過眼睛，到達位在眼睛後面的視網膜，形成清楚的影像，視覺神經再把訊息傳遞到大腦，大腦再把這些訊息轉變成視覺，於是我們就能看，並且透過過去的學習與經驗知道看到了什麼。視覺對我們的行動有很大的影響，只要試著把你的眼睛矇起來，就能發現再簡單的動作都變得困難。對機器人來說也是一樣。

把人類識別影像的機能，用來讓機器人可以看到的機制叫做機器視覺(Machine Vision)，這是一個模擬人類眼睛運作方式的系統。比擬人類眼睛的部分是攝影機或照相機，負責攝取外面的影像，接著把影像傳遞到電腦裡，再由電腦進行分析、辨識，機器人就可以知道形狀、距離、是立體或者平面、明暗跟色調，機器人將這些辨識好的資訊記在腦海中，下一次，同樣的物品出現時就能一眼看出，不用再次進行複雜的分析了。

眼見為憑

有了視覺系統的機器人，能力就會變高許多。因為可以看，機器人在執行任務時就更加精密，像是前面所提到的，具有視覺的機械手臂能做到「手、眼、力」的協調，進行更複雜的工作，對手的動作跟出力都能掌握得更好。

當機器人可以看的時候，透過視覺掃描所處的環境，就知道環境裡所有物品的位置，加上程式的幫忙，規劃出行走的路徑，隨時能避開障礙物。機器人就可以走出人類所規畫好的環境，邁向更複雜廣闊的世界。機器人的視覺也可附加其他辨識系統，功能更強大。例如人臉辨識系統，機器人就能分辨客人是誰，甚至分析臉上表情來判斷對方的情緒，順利跟人類互動。

我有透視眼

機器視覺還可以做到許多人眼比不上的功能。這讓機器人可以替代人類去進行許多危險或者複雜的工作，例如視野範圍比人類大很多，能進行大範圍的掃描，收集更多資訊。可在黑暗、強光、高溫等人眼不適合運作的環境中工作，而且工時很長，不會疲勞。機器人的視覺還可以開外掛，加裝其他功能，例如附加紅外線或者顏色濾鏡等功能的視覺感測器，就能看出產品上人眼看不出來的很細微的瑕疵，甚至分析飲料等物品裡的成分。

透過高速視覺系統，機器人可以應付高速移動的物體，當面對投手高速投過來的球，加裝了這種系統的機器人會清楚的看到球運動的軌跡，輕輕鬆鬆的把球給打出去。研究者把各種需要的功能附加上去，讓機器人變成名符其實的透視眼。機器視覺不只應用在機器人身上，更涵蓋了文件辨識、醫學工程、航太遙測等及其他需要視覺的行為上，是應用非常廣泛，相當重要的科技。

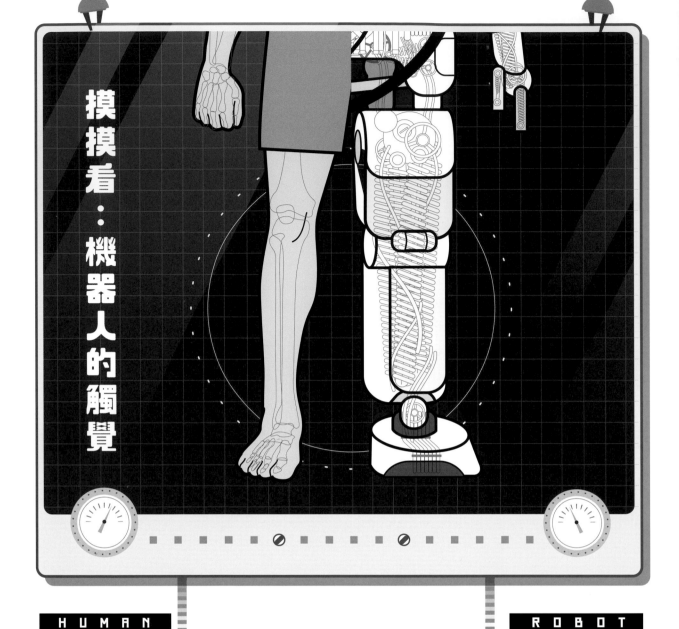

摸摸看：機器人的觸覺

HUMAN

皮膚	觸覺透過皮膚運作，敏感度高、辨識性強

觸覺受器

ROBOT

具有各種敏感度，不限部位	觸覺

觸覺感測器

觸覺其實是由很多感覺混和在一起的，所以我們碰觸到一個東西時，會同時感受到軟硬、冷熱、粗細等各種感覺。當機器人也能擁有觸覺的時候，甚至可以帶人類碰觸到未知的世界。

感觸有多深？

　　人體的觸覺主要是透過皮膚運作，你會感覺到冷熱、作用在身體上的力氣大小、知道自己碰到什麼東西等等，都是透過皮膚裡跟神經系統相連接的偵測器，稱作觸覺受器。我們一整天無時不刻都在使用觸覺，甚至睡覺的時候也是，所以觸覺是一個非常重要的感覺。其中手的部位的觸覺受器最多，一個指尖上大約有300多個受器，讓我們用雙手就能完成許多高難度的事情。

　　當研究人員想要賦予機器人觸覺時，首先想到的是能不能也給機器人跟人類一樣的皮膚，讓機器人全身都有觸感？也就是製作出所謂的電子皮膚。電子皮膚上安裝有感測器，並且布滿了電子線路，感測器會偵測皮膚所受到的壓力、溫度等等，透過電路把感測到的資訊回傳到機器人的電腦，機器人就能藉由「觸覺」作出反應。不過這是一個很昂貴的點子，小小一片皮膚就造價不斐，況且有些機器人並不需要全身都擁有觸覺，只要某個部位具有觸覺感測器就能讓能它們很強大了。

一指神功

　　生產現場的機械手臂如果沒有觸覺，只是靠設定好的力量來拿東西時，能拿起來的物品就很有限。為了讓機械手臂可以自動偵測抓起物品時的狀態，研究人員在手臂的指尖上加裝了觸覺感測器。這類觸覺感測器是為了生產環境中的特殊功能而設計，所以不必一定要模仿人類的觸覺，能夠偵測的範圍包含了手腕及手指，基本上具有兩種感覺：一是觸感，能讓機器人判斷接觸到的物體形狀、質地。二是力感，力感又分成：壓覺，要在物品上施加多大的力氣。力覺，判斷手指與手腕要從什麼地方施力。滑動覺，偵測掌握物品的狀況，讓東西不會滑落的感覺。透過用這樣的觸覺感測器，機器人不僅會選花生，還可以幫忙撿雞蛋而不會捏破。

觸覺感應

　　裝設在機器人身上的觸覺感測器，不只能提供機器人自主偵測的資訊，透過觸覺的交互感應，甚至可以讓人類透過機器人傳回來的觸覺，擴大人類的觸控感知範圍。這類的觸覺設備是透過一個能夠接收機器人回傳觸覺的操控器或者手套等，感覺到機器人碰到的物品的觸覺，讓操控的人好像真正碰觸到那個物品一樣。這樣的設備可以運用在醫療上，當醫生把小機器人放進人體裡，透過遠端操控，就可以讓機器人幫忙開刀，甚至不用把人體開腸破肚。利用這樣的技術，也能讓機器人在水下、太空中或者各種複雜環境中工作，儘管操作的人沒有在現場，依然可以身歷其境，漂亮完成任務。

聽聽聲音：機器人的聽覺

HUMAN

ROBOT

耳　可聽 50 - 20000 赫茲

音頻可視需要調整　聽覺

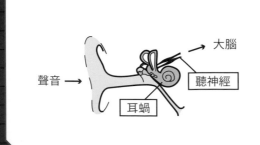

聲音 →

大腦

聽神經

耳蝸

麥克風

電腦分析

聽覺與說話是人類進行溝通時最重要的兩個管道，未來機器人如果進入人類社會中，要與人互動，聽話跟說話將是不可少的功能。

聽 話

　　我們的耳朵聽到聲音，是因為說話時產生的聲波傳到耳中的鼓膜，再進入耳中的迷路，再由迷路中的耳蝸裡的聽覺細胞將聲音解碼，把訊息傳遞到腦部之後，就聽見了，並且能知道聽到什麼，包含可以分辨人說話的內容，以及不是語音的其他聲音，像是鈴聲、汽車聲、風聲等等。當在吵雜的環境、多人同時說話的情況下，也能正確的分辨出自己想要聽的聲音。

　　要做到具備人耳功能的聽覺感測，在技術上還是很難實現，研究人員希望賦予機器人聽覺最主要的目的是能辨識人類的語音，然後進行互動。這時候就要給予機器人耳朵——由一組麥克風組成的裝置，當機器人聽到聲音時，會把臉或者身體轉向聲音來源，追蹤說話者與音源。收集來的聲音，經過聽覺感測器進行分析，再加上語音辨識系統，最後在大腦中的資料庫裡找出對應的行動指令，機器人就能會完成你下達的指示。具有高級聽覺辨識系統的機器人，甚至能同時辨識三個人說話的內容，而不會混淆。

　　除了分辨人說話的內容之外，現在有些機器人也會分辨環境的聲音，例如辨識馬達轉動的聲音，確認是否正常運轉等，也可以輔助其他感測器讓機器人對環境的掌握力更高。甚至聽音樂跟著節奏一起跳舞也難不倒機器人了。

說 話

　　現在，透過特定軟體，機器跟人對話已經不是新鮮事了。當機器人要理解人類說話的內容，並作出正確的回應時，在它的大腦中要先建立一套相關的資料庫，來應對當聽到什麼樣的句子，該怎麼答話。例如蘋果手機裡的SIRI軟體，因為被定位為助理軟體，所以具備了助理這個範圍裡的相關知識，還有搜尋功能，才能報氣象，找餐廳。為了跟人對話，機器人要做許多的學習，除了日常的應對，還得要有一些專業知識，才能跟不同背景的人談話。

　　但機器人的回話總是有個機器腔，冷冰冰的讓人很難聊下去。如何能說得不像機器，則是相當大的考驗。研究人員也在機器人的答話上下了功夫，現在已經有機器人講話時會帶有情緒，並且會根據談話現場的氣氛進行調整，甚至還會學習了解人類的個性，以及應對的方式。

　　跟人類對話的功能，讓機器人特別是在服務、家事與陪伴照護等領域，有更好的發展，以後當你在餐廳點菜、請人來居家服務時，來為你服務的有可能都是機器人喔。

聞一聞：機器人的嗅覺

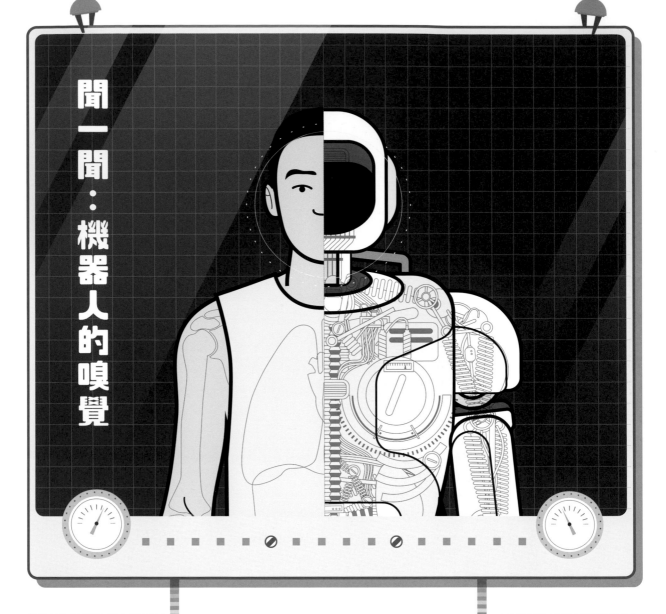

鼻 可分辨超過1萬種氣味

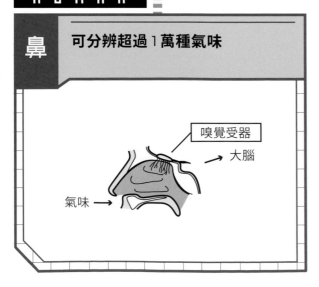

嗅覺受器
→ 大腦
氣味 →

嗅覺 可強化特定氣味偵測

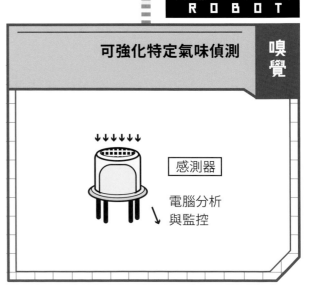

感測器
電腦分析
與監控

嗅覺能讓我們聞到空氣中的各種氣味，嗅覺比人類靈敏的生物，靠嗅覺來找食物、偵測敵人，甚至用嗅覺來溝通。而機器人的嗅覺，聞起來到底是什麼味道呢？

讓 我 聞 一 聞

視覺感測器捕捉光來成像，聽覺感測器收集聲波來分析，觸覺感測器則是感受外界物理現象(壓力、溫度等)來作出判斷，那麼讓我們聞到各種氣味的嗅覺又是透過什麼方式運作的呢？事實上，氣味是由化學分子所組成，像是尿味就是來自氨氣。當鼻子吸入空氣，鼻子裡的嗅覺受器就會捕捉空氣中的化學分子，人的鼻子裡大約有一千種嗅覺受器，每一種都可以偵測一群特定的化合物，再將訊息傳送到腦中，讓你立刻知道這是什麼氣味。

裝設在機器人身上的嗅覺感測器，也是利用偵測化學成分的方法，來讓機器人分辨氣味。嗅覺感測器特別的地方是可以加強對單一化合物的感測，而且靈敏度可以比生物的嗅覺高出許多，也不會像生物受到生理影響而降低嗅覺功能。

最常見的像是偵測煙霧的感測器，會感測煙霧的濃度，當濃度過高時機器人就會示警，避免火災的發生。另外，自然界有許多生物的嗅覺靈敏度都比人類高許多，例如狗的鼻子因為很靈敏，經常協助人類進行搜救或者偵測的任務，研究人員便模仿狗的鼻子，開發出電子狗鼻用來偵測炸藥，只要有非常微量的炸藥成分，電子狗鼻都能偵測出來，並且找出氣味的來源，未來這類危險的任務就交由機器人來執行。也有研究團隊借鏡蚊子的嗅覺機制，研發可辨識出人體汗味的感測器，能用於救災，協助尋找失蹤者。也有應用在居家照護機器人身上的嗅覺感測器，透過感測病人身上體味，判斷該採取的行動。用途非常廣泛。

酸 甜 苦 辣，哪 一 味？

機器人可以擁有嗅覺，那嘗得出味道嗎？我們能品嚐出食物的味道，是由舌頭上的味蕾來偵測唾液中的化合物，味蕾上的神經細胞裡有味覺的受體，會將品嚐到的味道傳遞到腦中，讓人知道食物的滋味。

讓機器人可以品嘗味道的味覺感測器，則是透過偵測食物的成分後轉成數據，再根據這些數據，把食物的味道量化，定義出不同味道的數據，是偏苦?還是偏酸?有毒還是無毒?是哪一種食物的味道。目前有些味覺偵測器能品嘗出酒類的味道，分辨出不同啤酒的品牌，對釀酒業對幫助很大。未來也可以應用在其他領域，例如救災時，災區的水源或剩餘的食物是否可以食用等等，幫助受困者維生，等待救援。

機器人的腦
讓我想一想…

HUMAN

ROBOT

大腦 透過神經與認知系統，
感覺與思考

電腦系統中，建立一個龐
大的資料庫做出判斷 大腦

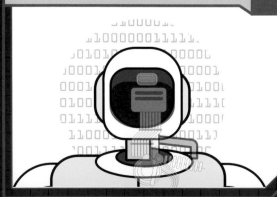

機器人為什麼那麼吸引人？而人類為何又總是對機器人有許多想像？全都因為它有一個很特別的「腦」，讓它可以跟人類一樣充滿智慧。

添加一點「智慧」吧！

機器人的大腦，簡單的說就是一台功能很強大的電腦，跟人類的大腦一樣，它也掌控著機器人的「感覺」與「思考」。

人類的大腦裡布滿了神經細胞，連結全身的神經系統，因此身體每個部位接受到的感覺，都會透過神經回傳到大腦，再由大腦作出反應。機器人的感覺原理也差不多，透過身上安裝的感測器，把訊號傳回主機，機器人就能感覺到身體外的狀況，再由相關程式下達指令，作出反應，所以機器人行走的時候自己會避開障礙物，到陌生環境繞個幾圈就能知道居家的擺設，找出行走動線，聽起來是不是跟人類很像呢？

只不過，機器人的這些反應都是由人類預先建立，工程師將各種想要給予機器人的知識放進機器人的電腦系統中，建立一個龐大的資料庫，舉凡機器人該怎麼走路，如何在瓶罐中辨識出可樂，跟人類交談時在什麼情境下應該作出什麼反應，甚至怎樣的信件該回覆怎樣的內容等等，都是由工程師先放進大筆資料後，當遇到一個問題時，機器人會很快速的搜尋腦中的知識，再利用程式所設計的規則來找出答案，讓機器人像是擁有智慧。

不過，當機器人面對一個不在自己資料庫裡的問題時，它可能就會不知道該怎麼辦或者會做出錯誤的判斷。現今的機器人能夠表現出「學習」的樣子，基本上還是脫離不了人類的操作。

深度學習

　　但是，機器人有沒有可能自己學習呢?甚至長出自我，擁有自己的意識？這是打從機器人還沒有問世之前，就受到熱烈討論的問題。想讓機器人擁有接近人類的智慧，是許多研究者一直努力的目標。例如模仿人類神經網路系統運作的方式所建立的「神經網路模型」，讓人工智慧電腦Google Brain已經可以在沒有先告知圖片知識與說明的狀況下，機器人能辨識出人臉、身體與貓的差別，成功作出分類。另外，微軟所開發的人工智慧程式「Tay」，從與人類的互動中去學習如何互動，不過這個風險就是它可能也會學壞，微軟為「Tay」開了一個推特帳號，讓大家都可以來教它一些東西，卻沒想到「Tay」最後真的被教壞了讓微軟只好緊急關閉它的帳號。

　　儘管這些都已經是很厲害的自我學習，不過要達到跟人類一樣思考還有很長一段距離，更不用說能長出自我意識。但話說回來，如果有機器人真能自主思考，有自我意識，許多人恐怕是不樂見，畢竟如果有像電影《魔鬼終結者》中的天網一樣失控的人工智慧超級電腦，對人類來說可不是一件好事。

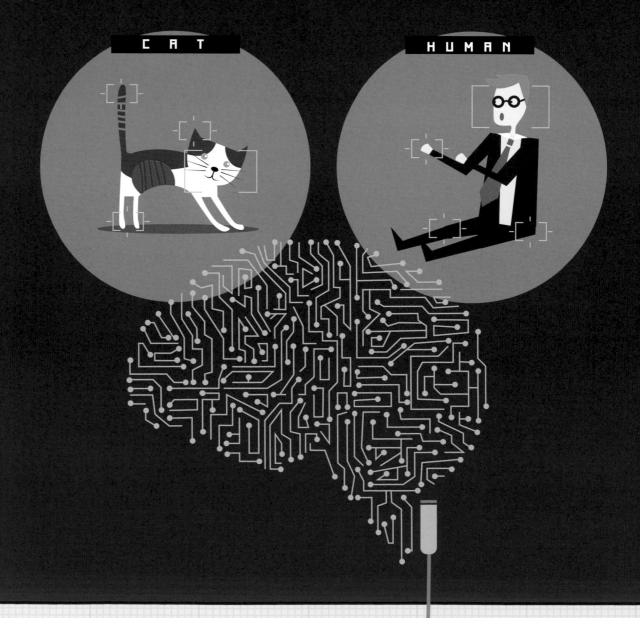

AlphaGo

P.K.

人類棋王

　　2016年最轟動的新聞之一，就是人工智慧 AlphaGo 跟韓國棋王李世乭的對決。在這場對決之前，電腦已經創下打敗人類西洋棋冠軍的紀錄，只不過圍棋的對決更引人注目，在於圍棋是規則更為複雜，變數更多的比賽，棋盤上的棋子數量不斷在改變，想要超越對手，人工智慧就不能再只靠事先輸入的資訊來推斷怎麼下，而必須要真正因應棋局走出適當的下一步。AlphaGo配備了強大的演算法以及深度學習的功能，且不像人類會緊張、受情緒影響產生失誤，比賽最終，AlphaGo以四勝一敗打敗了人類棋王，這場具有指標性的比賽，標示著人工智慧又更向前邁進一步。

究竟是人還是機器？
─擬真機器人

走進日本科學未來館，你會先被一個大大的問句所吸引，「人類是什麼？」(What is Human?)，接著往裡頭走，會看到幾個真假難辨的機器人，甚至還有嬰兒機器人，站在這些幾乎跟真人無異的機器人面前，你不得不去思考：「人類是什麼？」

究竟機器人要不要像人？一直是一個很有趣的議題。強調功能性的一派認為像不像人根本不是重點。但有另外一派學者認為，做出跟真人無異的機器人才是他們的終極目標。最熱衷於這個領域的專家是日本的機器人學者石黑浩，他打造了一個跟自己長得一模一樣的機器人，當這個機器人第一次出現在課堂上代替他上課時，石黑浩在另外一個房間裡遙控這個機器人，學生的反應很有趣，一開始當然看得出來這不是老師本人，但是當石黑浩透過遙控的方式開始說話時，大家的心情變得很複雜，到底該怎麼去跟這個擬真機器人應對？而這正是石

黑浩想要探究的議題，到底人類是什麼？是什麼讓人類之所以是人類？

跟多數開發機器人的研究者不同的是，石黑浩真正有興趣的是人類，而不是機器，所以他想要透過設計出跟人類相似度非常高的機器人來了解人類，當機器人沒有辦法做到的部分，就是人類的獨特性。除此之外，他也認為把機器人做成人形有許多好處，其中包括讓機器人更容易融入人類社會，因為在人腦當中有許多功能是用來作人臉辨識的。

不過對於擬真機器人的熱中也不是石黑浩的專利，日本民間單位也很積極開發，2015年由東芝所設計製作的擬真機器人「地平愛子」就曾在百貨公司裡擔任接待小姐，吸引許多人造訪，一時之間成為轟動的話題。擬真機器人作為機器人領域的一支，除了透過它們來了解人類之外，也代表著人們對於即將到來的機器人社會的一種想像。

機器人應用————
無處不在的機器人

在餐廳吃飯時，有機器人來為你點餐跟上菜。去超級市場買菜，有機器人跟在後面幫你提東西，回到家裡時家事機器人已經把家裡整理得一塵不染。打開電視，足球賽由機器人隊與人類隊的對決......這樣的場景，有部分已經在現實生活中發生，機器人走進人類社會已經是可以預見的未來，不過如果談到機器人能做的事情還是會大大超乎你的想像！

醫療居家好幫手

人類創造機器人的目的之一，就是服務人類。目前已經家喻戶曉的掃地機器人，強大的掃地功能，是服務人類的典範。未來，功能更強大的家事管理機器人，還可以幫忙處理更多生活上的大小事。面對高齡化社會，陪伴與老人照護也是一個很重要的社會問題，不久的將來老萊子娛親的任務就交給機器人來代勞。未來的機器人，甚至可以陪你一起運動、打球，預計在2050年實現的人類與機器人足球賽，看起來是很值得期待。

除了走進日常生活中，機器人在醫療上的應用，也是一個非常受到矚目的領域，機器人輔具可以幫助病人進行復健，甚至讓癱瘓的病患可以行走。功能強大的機器手，讓截肢的身障人士擁有像雙手一樣的便利性，降低生活中的行動困難。

上山下海，挑戰極限

　　創造機器人的另一個目的，就是讓機器人去作人類沒辦法做到的事。而這些事情主要都是受限於人類的生理機能，例如太熱、太亮、有毒的環境，這時候如果有機器人的協助，就能增加更多可能性，擴展人類對世界的認識。所以，派一個潛水人員到海裡進行維修，如果深度過深對於人體就會造成傷害，這時候如果有水下機器人，再深的海底都不是問題。想進行高山研究時，如果派出機器人，就不用擔心高山多變的天氣會對生命造成威脅，而且機器人沒有生物的氣味，不會讓野生動物產生戒心，更容易就近觀察。機器人甚至可以到外太空協助人類進行探測，不需要背著厚重的太空衣，也不怕有毒氣體的傷害，靠著身上的配備，直接記錄、分析當地的自然環境，正在火星上認真工作著的好奇號，正是這樣一部太空機器人。

　　挑戰人類極限的除了自然環境之外，還有許多災害現場都是具有高危險性，且人類不容易到達的地方，例如倒塌的大樓，烈焰燃燒的火災現場，這時候派出具備救災功能的機器人，運用各種更適宜的方式進入現場，靠著比人類感官更靈敏的感測器，能更快速的傳遞資訊，準確地找到等待救援的目標。

　　許多機器人科技正在如火如荼的開發，接下來就讓我們來看看機器人在幾個主要領域的應用，以及在台灣的機器人研究室中誕生了哪些特別的機器人。

模仿高手—仿生機器人

雖然人類一直是機器人研究領域最早也是主要借鏡的對象，不過如果要讓機器人能在各種環境中運動自如，人體的型態不一定是最好的選擇，某些功能也不是最強大的，因此有一部分的科學家就把眼光轉向其他生物。

來自生物界的靈感

魚可以在水中用很快的速度游動，還可以潛入很深的海底。鳥可以在天空飛翔，拍拍翅膀隨時起降，可不用像飛機一樣需要機場。昆蟲的六隻腳讓牠們在什麼地形上都能行走，就算是在垂直的樹幹上也能輕鬆來去。沒有腳的蛇靠著身體就能快速移動，絕佳的運動能力更是令人自嘆弗如......。自然界的生物經過很長時間的演化，個個身懷絕技，所以不管科技多發達，人類永遠有許多需要向自然界學習的地方。

仿生機器人就是從生物體中尋找靈感，以機械工程的方式呈現出來，應用在機器人身上的學問。仿生機器人的研究與應用有兩個階段，第一階段是仿生的階段，也就是去理解想

要模仿的這個生物機制是怎麼產生的，因為生物體是很複雜的，研究人員必須透過生物的研究，確認生物之所以有這個機制是什麼原因，整體是怎麼運作的。例如我們看到豹跑步能力很強，跑起來加速度很快，是因為豹的腿很長嗎？肌肉很有力嗎？還是牠跑步的方式有什麼特別的地方？這些都先要研究清楚，找出真正讓豹能夠成為短跑高手的原因，才能進入下一個階段。

第二個階段就是工程階段，清楚了解生物體這個機能的運作方式之後，運用工程的方式開發出相關的系統、機構。也就是說，當希望讓機器人也可以跟豹一樣擁有那麼厲害的短跑能力，要怎麼用機械的方式重現豹的身體機能。

生物的
各種移動機制

仿生機器人有許多都是模仿生物移動方式的機器人，應用在各種人類無法進入的極限環境。以陸地上來說，最常被模仿的是昆蟲的六足移動。因為昆蟲本身的運動機制最容易模仿，大部分昆蟲的腳都是分成兩組，三隻腳三隻腳在運動，三隻腳站立是最穩定的。有研究者發現蟑螂可以在各種地形暢行無阻，因此發展出蟑螂機器人DASH，模仿蟑螂的行走方式可以在各種不平整的地面上高速移動。四足動物就多了一點難度，以兩隻腳為一組的方式運動，走的時候還是不穩定，平衡上需要多一點功夫，但現在四足機器人也已經具備有很強的移動力了，像是美國的「大犬」（BigDog）機器人，就會爬山、爬瓦礫堆、在雪地上行走，平衡力也很強，被人踢一腳也不會跌倒。

除了用腳走路之外，生物的另外一個運動機制就是用身體扭動，陸上的代表就是蛇類，水中就是魚類。由日本開發的蛇形機器人，模仿蛇類關節的構造，可以滑順的扭動身體前進，還可以在水中游泳。水中生物的運動方式也是研究人員非常感興趣的，牠們有的利用噴水產生推力，可以快速逃走，有的利用強而有力的擺尾方式移動，根據這些運動方式以及魚類身體構造開發出來的水下機器人，未來將在海底探勘與海底搜救中扮演重要角色。

以生物作為借鏡，可以發展出許多具有特殊功能的機器人，不過如果你也想要試試看仿生機器人，建議優先選擇自己不害怕的生物作為研究對象，否則就沒轍啦。

前進暢行無阻的境界：
六足仿生機器人「miniRHex」與
輪足複合機器人「Quattroped」

擁有六隻腳，模仿昆蟲以三隻腳為一組的方式前進，稱作足部的地方是一個半輪型彎曲的腳，以滾動的方式前進，不管是爬樓梯、走坡道或者是穿越崎嶇不平的樹根地形，這隻六足仿生機器人都能用帶著點稚氣的方式，順利穿越，還可以用肚子滑下斜坡，甚至會跳躍，有點可愛的姿態正是它迷人之處。這是由台大林沛群教授的「仿生機器人實驗室」所開發的仿生機器人，不過講起設計靈感的來源，大概很多人都會尖叫，因為這個機器人的模仿對象竟然是蟑螂。

原本就對自然、生物有興趣的林沛群，在美國求學時，因緣際會跟一群研究蟑螂的科學家一同工作，透過觀察蟑螂的運動模式，發現現實生活中人人喊打的蟑螂，實際上有很大的學問。他們發現蟑螂的運動方式是藉由足部簡單的交互運動，以三隻腳為一組前進，完全不需要考慮到行進間的踏點，遇到崎嶇地形想也不想就能硬走過去，而且速度很快，任何地形都能夠穿越。這個

強大的移動方式吸引了研究者的目光，為了徹底研究蟑螂足部的構造，他們甚至還幫蟑螂剃腳毛！只為了想實驗看看腳毛對蟑螂運動的影響，研究結果證明蟑螂的腳毛確實對移動是有幫助的。透過對蟑螂運動方式的理解，才設計出這個可以應付不同地形的六足仿生機器人。

雖然用腳的方式機器人已經可以走得很好，但是以移動的能力來說，輪子在平地上可以表現得比腳還好且更省能，腳與輪子各有長處且無法互相取代，林沛群進一步將這兩個優勢結合在一起，希望讓機器人在任何地形都能用最有效的方式行走。所以在這台六足機器人的基礎上，再進化出輪足複合機器人。這台四足機器人乍看之下像是一台四輪的自走車，但是當遇到崎嶇路面時，輪子就會對半摺疊，變成腳，遇到平路時，再自動轉換回輪子，最厲害的是可以邊跑邊轉換。

不過，開發六足機器人與輪足複合機器人，這兩台具有強大移動能力的機器人目的是什麼？林沛群希望未來這個機器人能夠成為在自然與人造的環境中，遇到各種不同的地形都有辦法穿越的強大機器人載台，可因應不同的任務，搭載各種功能的感測器，例如要進行自然探勘、或做野生動物觀察時，就可以裝上攝影機、裝上機械手臂，讓機器人代替人類去執行任務。也可以應用在救災上，它所具備的強大移動能力，將能代替人類前進未知的地方。

六足仿生機器人 miniRHex

輪足複合機器人 Quattroped

照片提供 / 林沛群

潛入未知的深海世界：
仿生機械魚「Nemo」
與鋼鐵魚「Iron Fish」

　　儘管人類的科技不斷進步，但想要一探海底世界仍然是非常大的挑戰。不僅海洋的水流捉摸不定，深海裡黑暗、冰冷與高壓的環境，都是水下工作最難以克服的地方，傳統是由潛水人員來進行水下作業，不過人體在水中有下潛的極限，這時候就有請水下機器人啦。

　　專攻水下機器人的台大教授郭振華表示，一般而言，水下機器人大致可分成兩種，一是「遙控式水下機器人（Remotely operated Vehicles, ROV）」機器人本身以纜線與海面上的船隻聯繫，由船隻提供電力並且遙控機器人，機器人再將收集到的資料透過纜線傳回船上，人類為主要操控者，這樣的機器人不怕沒電，而且可以負荷很重的工具，例如機器手臂，所以多數應用在工業用途上。另一種是「自主式水下機器人（Autonomous Underwater Vehicles, AUV）」，其中也包含了「自主式水下滑翔機（autonomous underwater glider, AUG）」這兩種都沒有纜繩繫縛，是靠電池來維持電力，靠感測器與人工智慧自主在水中執行任務，以聲納、光學等方式跟岸上通訊，進行定位並且傳遞訊息。自主式水下機器人可以巡遊很遠的範圍，還可以在定點停駐進行觀察，機動性很高，不過相對的風險也很大，一旦通訊系統故障，就可能會遺失了。

　　郭振華教授的「水下載具實驗室」中有兩架可愛的自主式水下機器人「Nemo」與「Iron Fish」。外表長得像可愛小丑魚的Nemo，主要的功能是

在海科館中與觀眾進行互動，是水中的服務型機器人。Nemo的身體構造模仿魚身採用仿魚鰾作為浮力控制，它的移動全部仰賴矽膠製、可彈性擺動的尾鰭，帶著它完成前後、左右、上下的六個自由度，要利用單一個尾鰭來完成機器人的所有運動方式，是非常不容易，這個部分的研發也讓團隊著實花了好多力氣。另外，在研發Nemo的過程，由於這個機器人是要放置在海科館的魚缸中，在一個由玻璃環繞的固定範圍內巡遊，這也考驗了團隊的技術，原因在於機器人在水中是靠著影像處理與感測器來判斷環境，當環境太過於複雜，影像處理如果不夠快就會產生問題，而魚缸的透明玻璃也會讓機器人在判別上出現問題，一不小心就會撞上。最後他們想出在Nemo的鼻子、身體與尾巴裝上壓力計，透過偵測水壓的方式，讓Nemo可以貼著魚缸游，也可以順利避開水中的障礙物。

而擁有純白色機身，眼睛部分有黑色半透明眼罩的Iron Fish，是利用尾鰭的螺旋槳來控制前進與轉彎，搭配胸鰭的升降動作，可以高速迴旋與下潛，移動非常迅捷。Iron Fish原本是利用聲納來跟岸上進行通訊聯繫，現在則開發出速度更快的光學通訊系統，運用雷射光以及魚身上的光感應器在水底的兩隻魚可以互相傳遞訊息，研究人員也可以透過雷射光跟機器魚進行通訊，將所偵測到的資訊傳回岸上。

不過，要研發水下機器人並不容易，因為在水中的物體會受到流體力學、水壓、水流等等複雜因素的影響，實驗測試還必須要看老天的臉色，海象不佳就無法測試，因此研發進度會受到影響。另外，機器人的防水要做到非常嚴密，否則一旦機器人進水，設備經常就全毀了。在海中遊動的機器魚還有令人意想不到的危機，那就是會遭遇到大魚的侵襲，機器人被咬到也時有耳聞，還好它們為了負荷水壓，都配備有非常堅固的外殼，才不至於被咬壞。

儘管水下機器人的研發困難重重，不過郭振華仍樂此不疲，製作出一個像魚一樣可以永遠待在水中不用上岸的水下機器人，是他未來最大的夢想。

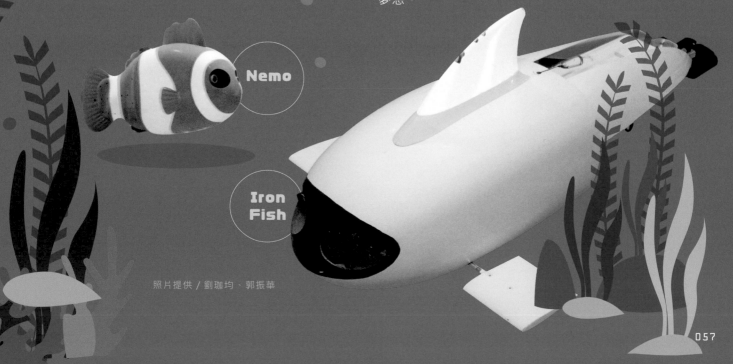

Nemo

Iron Fish

照片提供／劉珈均、郭振華

讓我為您服務一服務型機器人

服務型機器人是機器人研究最受矚目的領域之一，也是很早就開始進入人類社會的機器人，作為商用與家用的服務型機器人現在已經可以量產，看來人們對於與機器人共同生活充滿期待。

專為服務人類而開發的機器人

到機關場所辦事，如果出來接待的是機器人，那感覺一定超級酷！由日本HONDA公司所開發出來的ASIMO，正是為了可以在辦公室等較為穩定的室內環境中，進行輕巧作業而研發的機器人，所以身上的每一個設計都是為了能夠完成辦公室裡的作業所設。為了接待來訪的客人，ASIMO可以藉由辨識系統得知客人的身分，將他們引導至接待室等候。等待期間，ASIMO會拿著專用托盤來奉茶，為了端茶不會溢出來，ASIMO特別設計在行走時會根據身體的重心調整手腕的角度，如果感覺托盤有傾斜的現象，就會立刻停下來。抵達客人面前時，ASIMO會偵測桌面高度，然後讓膝蓋彎曲，一邊輕輕的把飲料放在桌子上，這個力道當然也是經過設計的。除了奉茶之外，ASIMO還會為來訪的客人帶路，甚至牽著客人的手一起散步也都不是問題。

接待客人之外，ASIMO還可以擔任導覽，它會唱歌，會跟觀眾互動，功能非常強大。

不過，ASIMO的造價非常昂貴，所以目前還沒有辦法真正走進人類的生活中。但從ASIMO的功能設計來看，不難發現，服務型機器人最重要的研發方向是以適應人類生活環境為主。

從做家事到生活陪伴

　　讓機器人走入家庭，成為生活的良伴也是一個受到許多關注的議題。特別是未來的社會有可能朝向高齡化與少子化，能成為家事好幫手的機器人就變得很重要。下達指令就能夠讓機器人到特定地方去拿特定的東西，會幫忙收拾家裡，甚至可以跟著出門去採買……，這樣的機器人已經在實驗室中誕生，雖然距離理想的樣子還有很大一段距離，但相信在不久的將來一定可以實現。

　　居家機器人除了服務之外，還有一個重要的功能是陪伴。身為家中的一份子，能夠跟大家一起互動，談天說笑也是機器人要打進人類社會中，必須要具備的重要能力。這個部分許多機器人都已經可以達成，由鴻海所生產的Pepper就是這樣的機器人，它有著圓圓的大眼睛跟潔白的身軀，兩雙具有觸感的手，以及一個輪型腳，號稱是擁有感情的機器人，會唱歌、會聊天，還會察覺人類的表情，並且表達自己的情緒，還可以成為小朋友的老師，教導九九乘法等基本知識。

　　看來，肩負著人類的各種期待的居家服務型機器人，必須具備十八般武藝，隨著社會與生活型態的改變，相信它們的功能也會越來越多元，成為最最忙碌的機器人了。

走到哪跟到哪：
跟隨機器人小跟班

逛街的時候有人可以幫你提東西，出國的時候好重的行李箱如果能夠跟著走，不必自己用手提，或者是到圖書館去找書，椅子會自動跟隨，走累了就可以坐下來，那真是太方便了。現在這樣的夢想，機器人能幫你完成。

由台大教授林沛群的實驗室所開發出來的小跟班機器人，是一個靠輪子移動的機器人，最棒的功能在於它會跟著人走，走到哪跟到哪，使用者身上只要配戴會發射紅外光的感應器，安裝在小跟班身上的感測器會主動接收紅外光，就能知道跟隨者所在的位置，並且跟對方保持一個距離盡量跟隨。不過，如果街上同時有很多小跟班時，會不會有跟錯主人的烏龍狀況?這點倒是不用擔心，聰明的小跟班目前是採用配對的方式來跟隨，身上的感測器與使用者身上的發射器頻率是經過配對的，所以就算同時有許多小跟班，也不會跟錯人，未來更有可能透過加裝攝影的方式，辨識人的運動特徵來鎖定跟隨者，使用者連感測器都不用攜帶，小跟班一樣可以找到主人，更加便利。

小跟班機器人除了跟隨之外，會邊跟、邊自動判別周遭環境，主動避開障礙物，不必擔心會被卡住或者絆倒，在各種場所中能都能發揮作用，未來像是超市的菜籃車可以不用自己動手推，有小跟班陪你逛，想買的東西通通放在小跟班身上，它就會跟著你到結帳台。常見的高爾夫球場載球具的車子，也能改由小跟班來代勞。甚至醫院的醫師護士巡病房總是要推著一台又大又重的車子，如果可以自動跟隨，對護理人員來說可以減輕許多負擔。總之，所有需要拖著東西的場合，都是小跟班大展長才的地方，尤其在高齡化社會來臨之際，協助長輩提重物，甚至透過跟隨降低長輩走失危機等等，都是小跟班可能發展的方向。

跟隨機器人小跟班

照片提供／林沛群

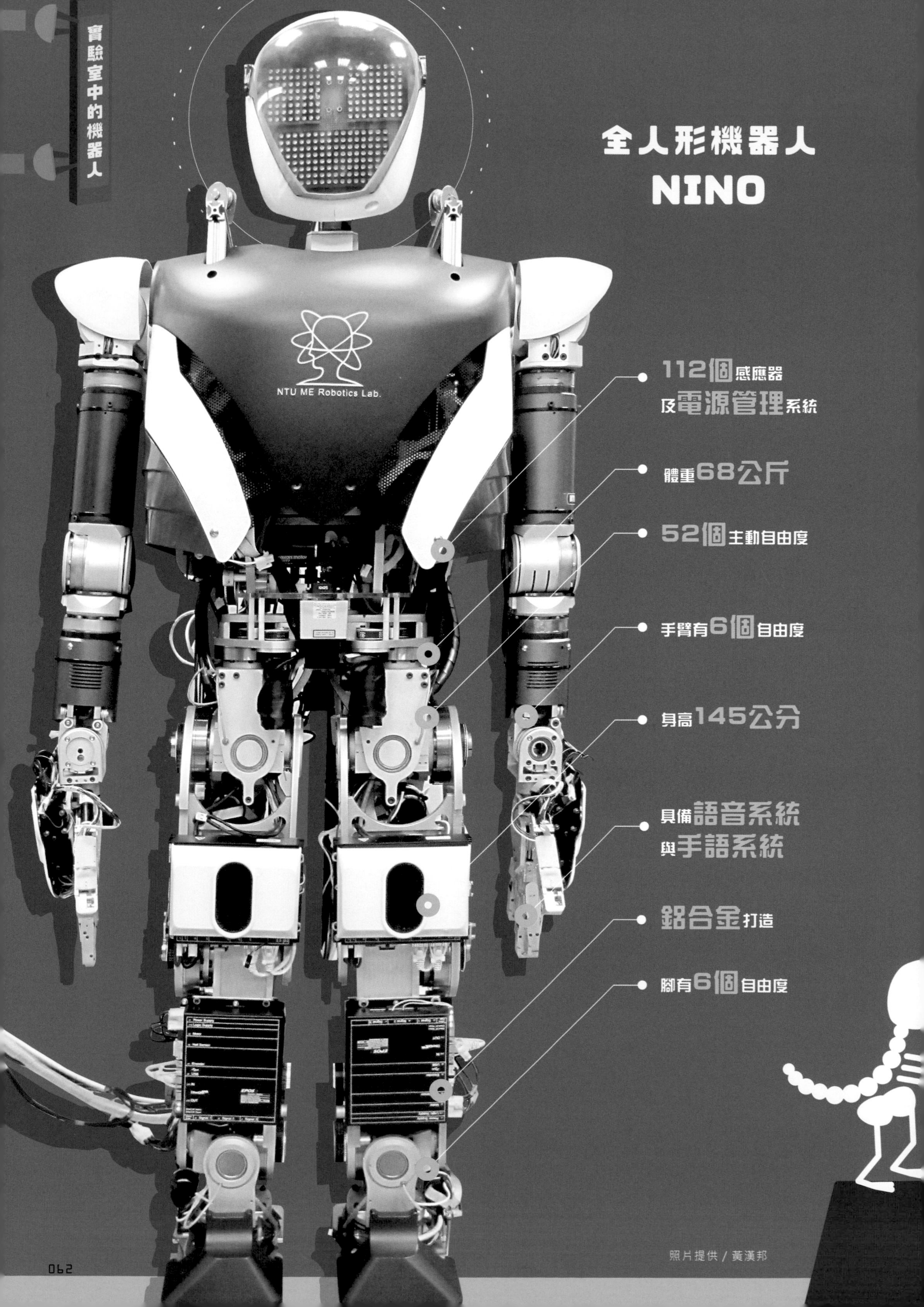

全人形機器人 NINO

NTU ME Robotics Lab.

112**個**感應器
及**電源管理**系統

體重68公斤

52個主動自由度

手臂有**6個**自由度

身高145公分

具備**語音系統**
與**手語系統**

鋁合金打造

腳有**6個**自由度

照片提供／黃漢邦

尼諾NINO是全世界第一台能表演手語的全人形機器人，所謂的全人形機器人就是模仿人體所設計出來的機器人，又稱為仿生人形機器人。就如前面所說的，機器人光是要站起來，穩定的走路就很不容易，全人形機器人不僅要做到可以用穩定的雙腳走路，全身的平衡以及手的操作也是重點。

NINO由台大機械工程學系黃漢邦教授所帶領的「機器人實驗室」研究團隊所研發的機器人，全部的機構、電路、人工智慧都由團隊親手打造。NINO身高145公分、重68公斤，全身由鋁合金打造，有一雙穩定的腳，可以跟人一樣行走、轉彎、前進、後退、走斜坡、上下樓梯等，都不是問題。此外，尼諾具有語音功能，會說話，還會眨眼睛，跟人互動超可愛。最特別的是尼諾擁有一雙非常靈活的手，能夠揮手、提重物、推車，而手指頭則是最吸睛的地方，具有很高的自由度，會靈巧的彎折手指比手語。只要操作者輸入手語，或者透過語音輸入，尼諾就能打出手語回應。未來甚至有可能看到對方打手語，就可以立刻做出手語回應。

NINO之所以能夠完成這些高難度的動作，是因為它的身上具有非常高科技的設備，全身擁有52個主動自由度、112個感應器及電源管理系統。每一隻腳有6個自由度，腳踝裝設力量感應器，讓尼諾在走路的時候能將接觸地面的情況傳給控制器，再由控制器來控制他的步態，讓它走得很穩健。NINO的每隻手臂也具有6個自由度，跟人的手臂一樣，所以會能做出接近人類的動作。手掌也有很高的自由度，才能夠靈活的比手語以及拿東西。另外NINO也搭配了語音系統，所以它可以自我介紹，跟人互動，親和力十足。

尼諾運用的範圍主要以服務為主，像是導覽，同時具備語音系統與手語系統的尼諾，可以肩負起為聽障人士導覽的重責大任。而尼諾身上所具備的各種研究成果，也都能夠單獨再開發利用，例如它那雙設計非常精細的手臂與手掌，就能應用在義肢的技術上，造福身障朋友。

黃漢邦教授實驗室中另一個的機器人小美也是身懷絕技，它一個是「全自動智慧型導覽機器人」，最特別的她會自動建立周遭環境的2D、3D地圖，規劃路線，帶領觀眾參觀，用身上配置的語音系統，進行中英文導覽。它還有八種情緒表情可以跟觀眾互動，親和力十足，曾經在台大校史館實際擔任過一日導覽員，很受歡迎。

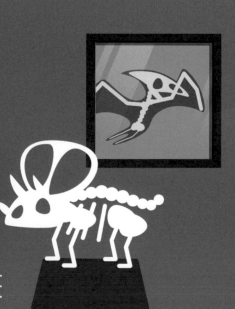

讓你行動自如 - 行動輔助機器人

還記得電影鋼鐵人裡的主角史塔克，只要套上鋼鐵裝，瞬間就從凡人變成超級英雄，擁有超能力，甚至還能飛上天，並具有強大的火力能對抗歹徒。這樣可以穿在身上讓人的某些能力變強的機器人，可不只存在於電影中！

一秒變成大力士

穿戴式機器人顧名思義就是可以穿戴在身上的機器人，聽起來真的好酷！這樣的機器人早在1960年代就已經受到研究者的矚目，投注許多心力進行研發，現在已經有很不錯的成果。穿戴式機器人主要是利用外在動力來輔助運動或者增加力量，讓人類可以超越人體極限。視需要而定可以單獨穿在手臂或者下肢。應用層面廣泛，例如做勞力工作的勞工、需要搬動病人的看護等等，如果穿上了機器人裝，馬上就能力大無窮，藉由機器人的協助能輕易舉起重物，需要常常抱小孩的媽媽或者老年人都可以藉由機器人裝的協助，更省力的生活。這樣的科技也應用在軍警身上，未來救難人員藉由機器人裝能跑得更快、跳得更高，甚至抬起比自己重10幾倍的物品，能更及時的搶救生命。

讓人行動自由的機器人

不過，穿戴式機器人最珍貴的應用，是在協助復健或者肌力不足者，讓他們能克服身體的障礙，重新獲得自主的生活。目前在復健的這個領域，陸續開發出許多功能，例如搭配跑步機的下肢復健系統。有的下肢穿戴式機器人甚至可以讓脊椎受傷而半身癱瘓的人重新站起來行走。

穿戴式機器人由於是穿戴在人身上的，因此設計上要以人體為主，穿戴在適當的地方，不能妨礙到穿戴者的動作，甚至造成疼痛。另外一個重點是安全性，特別在復健使用時，由於穿戴者的肢體沒有感覺，因此安全性更加重要。機器人裝設許多感測器，以避免太大力碰撞或者使用時造成使用者的姿勢不良，反而形成傷害。

行動輔具，安全第一

伴隨著高齡化社會的來臨，有更多研究者關注老年人的生活所需，特別針對行動不便的老年人開發適合他們的行動輔具機器人，以及針對身心障礙者所開發的輔助機器人，例如針對視障人士設計的導盲機器人。這類的行動輔具機器人研究的重要課題也多圍繞在安全性與使用的便利性。透過這些研究者的努力，藉由機器人的協助，這些行動不便的人將有機會重新獲得行動的自由，生活也因此變得更加便利。

讓人重新站起來的鋼鐵裝：
輕量型行動輔助機器人

　　一個年輕的醫生，因為一場滑雪意外，造成脊髓受傷；一個重機愛好者，因為一次車禍意外造成下半身癱瘓，兩個被醫生宣判這輩子不可能再站起來的人，卻因為機器人科技，人生有了新的轉機……。

　　根據統計，台灣大約有兩萬多名脊髓受傷的患者，而且每年大約新增一千兩百多位患者，這些人的年紀都很輕，大約在二十七歲上下。過去，脊髓受傷的患者有很高比例的人，一輩子只能坐在輪椅上，如果要靠著輔具站起來，雙手必須要非常用力支撐才有可能，久了之後容易造成雙手累積性的傷害。進一步想要行走的話，由於下半身已經沒有知覺，也無法控制，所以只能靠身體很用力的甩動雙腳，才能勉強前進。不能站起來，對這些傷友而言，除了行動不便，還會帶來健康上的問題，包含雙腳肌肉萎縮、骨質疏鬆、甚至內臟位移、代謝功能障礙等等。所以能夠輕鬆的站起來，甚至走路，是所有脊髓受傷患者最大的心願。

由巫震華所帶領的工研院機械所研究團隊，看到了傷者的需要，原本從事服務型機器人開發的團隊，轉向研究幫助傷者的行動輔具。團隊中的成員原本就具備研發機器人的技術，所以第一代的開發很順利，只花了五個月的時間就完成了。不過實際上場測試時，才發現有很多需要改進的地方。最主要的原因在於，儘管看了很多的資料，對於傷友的了解還是不夠深入。透過對傷友實際使用後的回饋，跟復健科醫師合作，不斷改良，最後才開發出這套「輕量型行動輔助機器人」。

這套機器人包含電池與控制器，總重量是二十公斤，比第一代開發的機器人重量少了七公斤，也許聽到二十公斤，一般人還是會覺得很重，不過由於機器人會自己施力，對傷友來說負擔並不大。整體厚度也從十公分變成七公分，更薄。穿戴時整個機器人是利用束帶綁在傷者的身上，穿脫簡單，不需要他人的幫忙，便利性很高。

照片提供／工研院機械所

曾有傷者形容沒有知覺的下半身就像果凍一樣，無力的下肢即使雙手很用力的支撐起來，仍然會下墜，過去都是靠傳統輔具把雙腳固定，才能勉強站立。而這個行動輔具機器人在髖關節與膝關節都裝設有馬達，透過把機器人穿在下肢上，可以達到傳統輔具固定身體的效果，而且可以站得更穩定。

使用的時候搭配兩支手杖，一方面是幫助平衡，增加安全性，另一方面，操控器就裝設在手杖上。當按下「站立」的按鈕，傷友不再需要用雙手很費力的支撐，這時候安裝在髖關節馬達就會施力讓他們站起來。接著，按下「走路」的按鈕，控制器就會依照事先輸入的步態、速度，讓機器人藉由髖關節與膝關節兩個地方的馬達，支撐並且帶動傷者沒有知覺的雙腿向前走。

穿戴的環節安全性是最重要的，傷者在穿戴前必須先量血壓，因為久坐輪椅，如果要站起來必須血壓平穩，否則容易引起頭暈。也要測試雙腿的張力，判斷傷友是否處在適合穿戴的體能狀態，一切符合之後，才能使用。

這套輕便、容易操作的行動輔具，實現了讓脊髓傷友重新站起來的願望，透過機器人科技，讓身體受到嚴重傷害的人，也能夠獲得生活的自由與自主。這套行動輔具機器人，也受到國際注目，就連機器人大國日本都相當讚賞。目前工研院將這個技術擴展到日本醫院，幫助國外傷友，讓研究開發者的友善初心，透過量產與降低成本，改變更多傷者的人生。

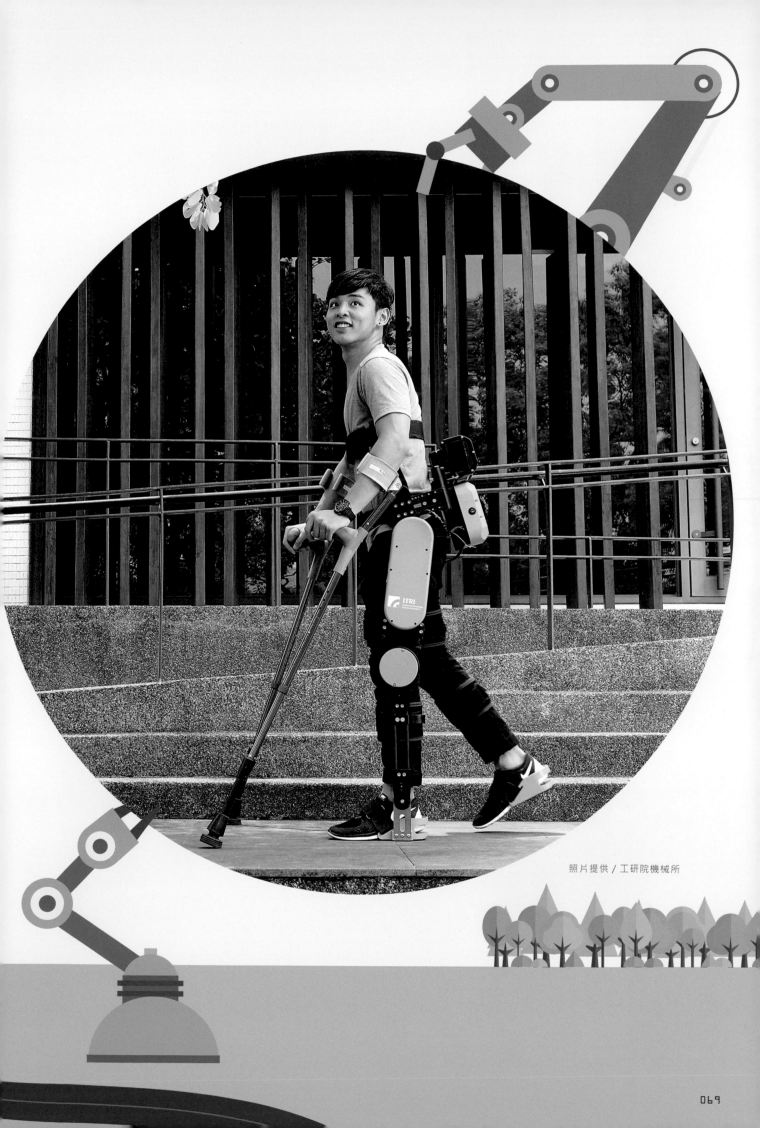

照片提供／工研院機械所

讓阿公阿嬤行動自如：
智慧型被動式行動輔助機器人

你是否曾經注意到路上年長的阿公阿嬤走起路來有點辛苦，有些還必須要靠枴杖來輔助。其實當年紀愈來愈大時，四肢的骨骼會出現老化、疏鬆、無力的問題，這也就是為什麼老人家經常會有骨頭痠痛，而且由於主要都發生在足部，有時甚至沒有辦法順利行走，還很容易跌倒。為了能行動順利，通常會使用行動輔具來幫忙。最常見的傳統輔具有枴杖、輪椅以及四腳支架。拄著枴杖雖然可以幫助行走，不過枴杖也會有平衡的問題，一不小心就可能會讓使用者跌倒。四腳支架雖然比較穩定，但使用上要反覆舉起、放下，並不是很便利。輪椅是比較穩定的輔具，不過如果還是有行走能力的人，持續坐著輪椅會造成依賴，雙腳很快就會失去活動力。

面對人口老化的現象，許多機器人的研發者也開始關注到銀髮族行動輔具的開發，希望讓機器人來幫助年長者解決行動不便的問題。目前較多的行動輔具機器人都是主動式，藉由馬達控制，雖然使用很方便，卻隱藏著失控的危險，特別對於老年人，一旦輔具失控就可能會造成更嚴重的傷害。

由交通大學楊谷洋教授的「人與機器實驗室」所開發出來的「i-Go智慧型被動式行動輔助機器人」，就企圖要改善這樣的危險性。與其他主動式機器人不同的地方在於，這個機器人是以煞車器控制機器人行動，使用者要出力推動機器人才會前進，所以稱之為被動式。

這個外表長得像一台小推車的機器人，身上裝設有各種感測器，能夠偵測到使用者的指令，並且針對外在環境的變化做出反應。例如可以透過力感測器量測使用者雙手的施力，來判斷使用者行動意圖，以視覺感測器來偵測障礙物並進行閃避，以傾斜儀估測斜坡的傾斜程度來防止下滑。最特別的是能夠偵測到使用者身體的角度，來判斷使用者運動的方向，非常聰明。而跟其他主動式機器人不同的地方在於，機器人身上同時裝有馬達跟剎車，透過馬達的運轉可以應付上坡，但在平滑路面等地，為了防止馬達施力太大造成失控，則使用剎車器，使用者需花較大的力氣來推才會前進，但也因為這樣使用者對機器人的掌握度比較高，安全性也因此大大提高。更重要的是還能藉由施力來運動筋骨，不會因為過於依賴行動輔具而失去行動力。

目前這個機器人已經進行了各種測試，希望在很快的將來可以讓更多的年長者使用，讓阿公阿嬤也可以行動自如，便利生活。

現在工作中─工業機器人

1959年，第一架工業用機器人研發成功，兩年後，這個機械手臂正式走進工廠，開啓了機器人參與工業生產的契機。隨著科技的發展，工業用機器人越來越成熟靈巧。

圍籬中的工作者

從工業機器人最早投入的產業之一汽車業，就可以了解機器人在工廠裡扮演的角色。特定的廠區裡，幾台機器手臂上上下下，來來回回的對著汽車外殼賣力噴漆。手部接著銲槍的焊接機器人，在零件上伴隨著大量火花噴出，這裡點點，那裡點點的焊接著。那時候，機器人就像獅子般被關在特定的廠區裡，跟人類少有接觸，代替人類進行這些高危險性的工作。之後各種工業機器人陸續被開發出來，力大無比的機器人甚至可以把整台汽車從工作台上抬來、抬去，幾種不同功能的機器人同時運作，這些工作完全不假人類之手⋯⋯如果有的話，就是外面負責控制機器人的工程師們。

工廠裡的機器人，工作賣力又不吵不鬧，為什麼需要被關在特定圍籬中？主要是為了安全，因為傳統的工業機器人，大部分都是粗大有力的多軸單臂或雙臂機器人，工作起來非常威武有力，如果人類在廠區裡靠得太近，一不小心就很容易被擊中，機器人操作有時也會有誤差，萬一遇到零件掉落，也會造成傷害。就算是在已經有許多安全規範、安全圍籬的情況下，每一年被機器人夾住、捲住、甚至電到的人數還是不少。提升工廠裡的安全性，是每個自動化廠區不斷追求的目標。

人機協作，機器人變同事

當電子業興起以後，需要大量人工的生產線對機器人的需求便大大增加，但電子業的組裝可不是傳統那種頭好壯壯型的機器人可以來幫忙的，具有精巧手部功能，能夠作細活的機器人，成為最新趨勢。人們不再需要把機器人關在特定區域裡做事，而是讓它們走進生產線上，跟人類變成比鄰的好同事。

所以工業機器人的型態也越來越多元，不只有協助裝配，還能夠透過視覺的進化，幫助更精準的揀選產品，像是工研院研發的鳳梨酥機器人，就透過機器人視覺辨識、挑揀出鳳梨酥餡的雜質，讓製作出來的鳳梨酥更衛生好吃。機器人也能在廣大的場區中，協助搬運很重的材料，規畫好路線就能順利將材料送達，甚至還會自己搭電梯。讓過去需要將材料搬運到一定地方再組裝的工人，可以減去這段費力的工作，專心執行後端的流程，提高生產效率。現在已經有越來越多機器人投入工作場域，未來將會朝向一個完全電腦化、數位化與智慧化的新型智慧工業世界發展，而機器人以及人工智慧將會如何改變人類的工業樣貌?非常值得期待。

工業技術研究院
Industrial Technology
Research Institute

機器人的手(機械手臂)、眼(檢測系統)、腳(無人搬運車)、大腦(控制器)各部位,在工業生產線上的應用示意圖。各部位互相搭配,執行任務更精準,還可以跟人協同工作。

照片提供/工研院機械所

職場上的新同事：安全型觸覺機器人

隨著人類科技與工業的發展，產業對於機器人的始祖——工業機器人的需求愈來愈高，對於功能的期待也跟以往大大不同。原本關在圍籬中工作的機器人，現在要走出來，跟人類同事一起工作，人機協作成為未來的趨勢，特別是在生產線很複雜的電子3C產業，由於需要很高的精密度，透過機器人來執行，可以做得更精準。目前在一些工業的生產線上，已經可以用不同功能的機械手臂，來完成一連串的組裝工作。

工研院機械所胡竹生所長
與安全型觸覺機器人合影

照片提供/工研院機械所

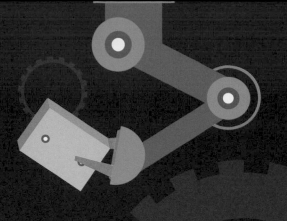

你可能會問，這樣一來，人類不就失業了嗎？其實，目前工業機器人雖然可以取代部分的工作，但是還是需要人類來操作與管理這些機械手臂，機器人加入之後，人類的角色從工作者變成管理者，人類與機器人是站在同一個產線上，互相協助，進行生產。離開圍籬跟人類同處在一個場域中工作近距離接觸的機器人，安全性就變得更加重要。通常容易發生危險的狀況是，在工作中人不小心去碰觸到機器人，這時可能就會造成傷害。

為了讓機器人的感測更靈敏，人機協作更安全，工研院機械人的研究團隊開發了「安全型觸覺機器人」。外型看起來跟其它機械手臂沒什麼不同，但多了一層藍色的皮膚，這款安全型觸覺機器人，之所以敢稱為安全，祕密就在這層藍色的皮膚裡，這可不是一個簡單的塗料或者外皮，這片厚度小於3mm、輕薄、可彎曲的外皮，裡頭布滿密密麻麻的感測元件，安裝的密度非常高，每小於10mm的距離就有一個感測器，感測器透過機器人的通訊設備，把接收到的訊息傳遞給控制器，也就是機器人的大腦，控制器就會作出判斷，然後執行應對的方式。

所以，當人與機器人站在同個生產線時，一定的距離之下，機器人會正常運作，但是當人太過靠近時，機器人就會閃爍黃燈警告，並且降低速度到60%，如果人又更靠近，機器人就會閃紅燈，並且速度會降至10%，最後當人不小心碰到機器人，只要一根手指頭碰觸到，機器人就會完全停下，比起傳統上要大面積的碰撞，例如用手臂去碰機器才會停止的設計，更能保障工作中人類的安全。最厲害的是，這層觸覺皮膚是可以用來包覆在不同的機器人身上，只要裝上了這個模組，就能夠變成安全型觸覺機器人，對於想要改變傳統機械手臂運用的場區來說，成本可以大大降低。

終結手抖困擾
高敏銳觸覺感知穿戴式輔具

上篇工業機器人使用的觸覺皮膚，不僅在工業機器人身上可以使用，還可以應用在其他地方，像是工研院另外替手抖的長輩或者罹患有原發性顫抖症（Essential Tremor）的患者所開發的「高敏銳觸覺感知穿戴式輔具」，就運用了同樣的觸覺感知技術。

原發性顫抖症是一種平常不容易被察覺的疾病，患者會在執行某些動作，例如拿水杯、拿筆寫字等動作時，手部開始顫抖且無法控制，隨著年紀的增長，發病的狀況會愈來愈明顯，造成生活上的不便。而老人家，尤其罹患巴金森氏症者，也會產生手部無法控制的抖動，嚴重影響日常生活。

高敏銳觸覺感知穿戴式輔具就是用來協助改善手抖的機器人。這個輔具內部配置有的藍色觸覺貼片，它能偵測手部肌肉的變化，作出控制手部的反應，讓患者不再手抖。把這個觸覺貼片放大來看，裡頭是呈現海綿狀的上下兩個感測層，當肌肉施力時，兩個感測層的距離變小，流經的電阻會變大，機器人測量到電流的變化，就會作出相應的動作，來控制手臂的活動。這個感測層非常靈敏，可以感受到256種壓力程度，而且感覺的空間範圍只有1mm，也就是非常非常輕微的碰觸都能感覺到，甚至超越人類皮膚的極限。手抖症的患者只要戴上這個輔具，可以大大的獲得改善，喝水時不再抖得滿地都是，簽名寫字也都能順利完成。因為充滿創意與實用性，這個機器人更獲得2015年全球百大科技獎（2015 R&D 100 Awards）。

從上面的觸覺元件應用，我們可以看到機器人科技的發展，同一個技術能應用在不同的方向上，可以促進工業的發展，也能解決人類生活的困擾。靠著這些機器人研發團隊無限的想像力與創造力，還有他們對於人類的關懷，機器人將會在各方面協助人類，朝向更便利與無障礙的未來邁進。

工研院高敏銳觸覺感知穿戴式輔具研發團隊。　照片提供／工研院機械所

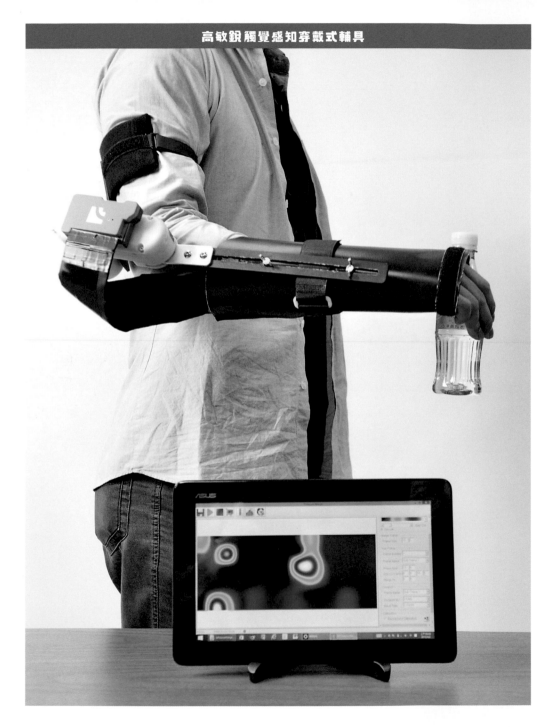

高敏銳觸覺感知穿戴式輔具

照片提供/工研院機械所

即刻救援一救災機器人

安心安穩的生活著是每個人心中最大的渴望，可是災害總是在不可預期的時候發生，自然與人為災害帶來的都會帶來令人不安的損害，該如何降低災害的影響，迅速在複雜的災害環境中救出受困者，是今後救災機器人最重要的使命。

前進人類無法進入的災害現場

311日本大地震引發強烈的海嘯，侵襲了福島核電廠，發生了非常重大的核災造成大量的輻射外洩。充滿輻射的環境對人體會造成很大的傷害，為了防止災害擴大，進入災害現場控制災情又是不得不採取的行動，當時便派出了救災機器人前往災區。有所謂的紅色機器人，負責偵測受損反應爐的輻射指數，黃色機器人，將採集輻射塵樣本和監測易燃氣體。其他國家也援助許多救災機器人，有的可以偵測輻射，有的可以鏟土跟挖牆，有的可以爬牆。有了這些機器人的協助，人們可以更加了解無法抵達的災害現場中的情況，透過它們回傳的數據，救災人員才能判斷災

害的嚴重程度，以及該採取什麼樣的應變方式。

救災機器人的研發目的，就是為了在災害發生時，可以協助救災人員搶救人命，肩負起重要的任務。在災害現場救災之所以很困難，是因為很難進入，例如因為地震所倒塌的大樓，救難人員很難從瓦礫堆中得知大樓裡頭的狀況，這時候如果有可以在狹窄空間行走的機器人，例如蛇形機器人或是具有壓縮功能，可以行走在陡峭空間的蟑螂機器人，就可以代替人類進入瓦礫堆中找尋受困者。

救災機器人大賽

　　儘管理想上機器人的救災功能很多，但目前許多科技都還在研發中，而且救災機器人的研發過程很難有實戰經驗，畢竟救災牽涉到人類生命，分秒必爭，當然無法讓還在實驗階段的機器人進來練功。所以這些在測試階段看起來功能非常完備的機器人，也有可能真正上場時卻狀況連連。前面提到的311核災事故發生後，許多派去現場救援的機器人，因通訊的限制與事故現場的複雜度，導致有些救援機器人根本沒有幫上忙。

　　由美國國防部高級研究計劃局（DARPA）舉辦，號稱全世界最強的機器人比賽（DRC），最近就以核災救援當作比賽主題。參賽的機器人必須具備在惡劣環境中運動與操作能力、會使用各種工具、還要操作簡單，即使沒有經驗的工作人員也能簡單操作和控制，當然機器人本身還要具備有強大的自主決策能力。在實際比賽中，機器人要面對開車、開門、開啟活門、打穿牆壁、跨越建築物殘骸及爬樓梯等挑戰，主要是模擬救災時會面臨的各種狀況，從軟體到硬體都是比拚的重點，這些看起來很簡單的動作，對機器人來說還是困難重重，不過在這樣不斷的測試與進化之下，代替人類深入無法到達或危及性命安全的災區進行救援的機器人，未來一定會愈來愈強大。

海上災難救援機器人

台灣是一個海島國家，四周環海，許多沿海居民依靠漁業為生，不過捉摸不定的大海，也會造成許多災難，尤其是在颱風等氣候不佳的時候，就容易有海難發生。當海上災難發生時，通常得靠船員通報岸上，再由岸上出動救災人員前往救災，但如果救災時，無法定位船舶位置，救難人員就必須花費許多時間進行搜尋，延遲救災的時間與機會。

有鑑於此，台灣科技大學李敏凡教授的實驗室研發出一套救難機器人系統。這個機器人外表是一架無人機，身上配備有飛行姿態控制器，遇到亂流時會自主調整，保持穩定飛行。不過，最特別的是機身上搭載著船舶自動識別系統(AIS)。

所謂的AIS是一種強制裝載於船舶上的系統，只要超過300頓的商業用船隻（非漁船）和載客用船隻（無論大小和噸位）都必須裝設，船隻出海後就要打開系統，AIS的訊號主要是傳遞船隻位置、航向和相關資訊給陸地上的管制設施，如港口、交通管制站及附近的船隻，目的是避免碰撞，幫助導航，維持海上安全。

陸地上的AIS接收基地台，受地點跟高度的限制，可搜尋的範圍有限，如果船隻位在接收範圍之外，就無法定位其位置。但是搭載著AIS系統的無人機起飛後，可以追蹤的範圍比陸地上基地台範圍大的多，能夠提供更多即時資訊，當船隻發生海難的地點在陸地基地台接收範圍外時，這台空中機器人一升空就能夠很快速的定位船隻位置，提高搜救的精準度。未來還會發展海洋船舶自主降落技術，讓空中機器人可以在船上升空、降落，機動性更加強大。

這台空中機器人除了支援海上救難之外，還可以聯合地面機器人進行陸空協同作業，空中機器人配備了視覺系統，在空中搜尋目標，接著將空中影像資訊提供給地面機器人，地面機器人除了靠自己的能力之外，因為有空中影像的輔助，能取得更多資訊、更容易到達目的地。而陸地機器人另外配備有現場採樣分析的能力，如果是發生在不容易到達的荒野的災難，就可以採用空降的方式，將地面機器人送進現場，再由空中機器人傳遞訊息給地面機器人，當機器人找到受困者時，利用它的採樣分析儀器，判別附近水源是否可以飲用，協助受困者維持生命。

陸空機器人協作，未來也可以加入船舶機器人一同運作，達到陸海空協同作業，進化為全面性的救災機器人系統。

海上災難救援機器人

照片提供/李敏凡

開刀機器人

手術房裡，病人躺在病床上，在他身旁居然沒有醫師，取而代之的卻是有著幾支機器手臂的機器人，機器人動了起來準備在病人身上下刀⋯⋯。你沒看錯，這真的不是科幻電影的場景，而是現在正在發生的現實，幫忙病人開刀的不是醫生，而是機器人！但是別擔心，旁邊幾位看起來像是在大型遊戲機前打電動的人，其實正是機器人背後的藏鏡人，真正的醫生是也。他們正透過手術機器人身上配備的3D視覺，在觀看病人的病灶，再透過遠端操作機器人的機械手臂，正確的下刀進行撥開、切除以及最後的縫合。

1999年，由美國醫療儀器公司「直覺外科」(Intuitive Surgical)將美國國防部這個瘋狂的點子實現了，並且成功的生產出這套手術系統，稱為達文西機械手臂手術系統。開啟了機器人替人類開刀的先例，從問世至今，已經被廣泛的應用在各個領域的外科手術中，光是一年全世界就執行超過四十五萬次，數量非常驚人。而台灣目前將近五百家醫院，也有十七部的達文西系統，有愈來愈多人接受達文西系統替他們開刀。

相較於傳統的醫生動刀方式，讓機器人開刀會不會感覺毛毛的?這個系統又有什麼優點讓全世界的醫院相繼引進?這就要從達文西手術系統的優良配備說起，它有多隻機械手臂，可以像人的手臂一樣活動，甚至扭轉幅度還大過人手，可以靈活執行精細的手術動作。另外配備有3D立體影像能讓醫生在觀察病灶與手術過程的時候，更有臨場感，判斷更精準。而且機器人不會產生疲憊感，可以克服因為長時間開刀造成的手抖等人類生理問題，甚至執行縫合、切除等動作的精準度還比人類高。當然，該看什麼地方?該從哪裡下刀，該怎麼切除與縫合，還是由專業的醫師遠端判斷跟操作，所以不用擔心機器人會亂來。

不過，近年手術機器人的發展也朝向減少人類監控，讓機器人自行進行手術的方向邁進。美國·華盛頓特區的兒童國家公衛體系研究員金彼得(Peter Kim)博士的團隊，研發出的「智慧組織自動機器人」(STAR)，可以透過電腦程式的設計，在沒有人類干預的狀況下，縫合豬的腸子，手術後的效果，據說比醫生親自手縫還要好。他們未來希望可以做到在沒有醫生監控的情況下，幫人類割闌尾。

不過，不管是正在使用的達文西手術機器人，或者將來可能投入醫療領域的STAR，都還有一些需要克服的問題，像是開刀費用過高、手術過程產生的風險與責任歸屬等等，但不論如何，這些機器人的發明，都讓我們見識到機器人無限的可能性!

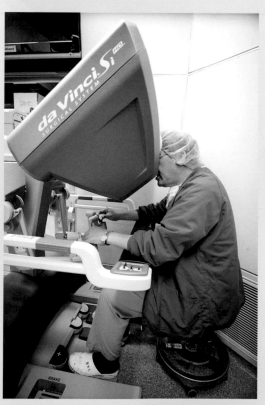

達文西機械手臂手術系統

工作大現場－關於機器人科技

一個智慧機器人是由許多專業領域的科技所組成，從無到有的打造一個機器人，很難由一個人獨力完成，因此不管是機器人實驗室或者機器人研發團隊中，都是由具有不同專業背景的人所組成，團隊工作特別重要。

基本組合 機器人的研究團隊中，有三種專業是基本班底，不管你從事的是哪一種機器人的研發，都需要這三種人的加入。

機械專業

我們看到的機器人，都是由各種機構所組成，手、腳的關節怎麼設計？怎麼動才會順暢？機構的強度需要多高才能把東西拿起來？要怎麼改善構造才能讓機器人變輕？等等這些都是機械領域的專業。也就是說，他們是機器人的機構設計師。

電機專業

機器人是透過電力來驅動身體上的馬達以及電腦，才能產生各種動作，實現各種功能。像是神經一樣，把機器人身體各部位跟大腦連結起來的電路，感測器與主要機構怎麼配置？電路如何運作？就是電機領域的專業。

機器人之所以被稱之為機器人，正是因為他們很有智慧，而這個智慧來自於人工智慧的設計，如何為機器人打造出一個超級聰明的腦袋，就是資訊領域的專業。這個部分包含機器人身上的各種感測器回傳訊息的處理，例如影像處理，也包含前面我們所提到的機器人的深度學習。

資訊專業 3

番外篇——材料專業

這個專業不是每個團隊都會配備，但是材料工程的加入卻可以為機器人設計帶來更多選擇，特別是在硬體方面，想要硬的、軟的、耐操耐磨等等材料，材料專業者都能給出專業的建議，並且為團隊找到最佳的素材。在機器人不斷追求輕量化的過程，他們的重要性也愈來愈高。

其他專業組合

除了基本班底之外，每個團隊研發的機器人功能都不同，但不論是用來救災、服務、娛樂、醫療、工業使用，都需要該領域的專業者來提供意見，協助測試。像是仿生機器人，需要模仿昆蟲、貓狗、蛇類等等，生物領域的專家由於長期研究這些生物，瞭若指掌，就可以提供更深入的寶貴意見。水下與空中機器人，則要有熟悉氣流、水流背景的專家加入，才能讓機器人展翅高飛，如魚得水。醫療機器人團隊，因為研發的機器人與人類密切相關，更需要有醫師、復健師這些人員加入，只有透過他們的專業背景與臨床經驗，才能提供精準與適當的建議。另外實際使用者的意見回饋也相當重要，通常能帶來很寶貴的改善意見，讓機器人更充滿人性。因此有些團隊也會邀請傷友加入，成為團隊的一員。

所以，不管研究的機器人是哪個領域，來自專業人士的意見都是機器人可以不斷進化的推動力。

工作大現場一機器人實驗室

實驗室裡的機器人研發，總是讓人感覺浪漫又熱血，但是對研究生與老師們來說，卻經常是波濤洶湧。讓我們一起來看看實驗室裡的日常是怎樣的風景。

研究室的日常

通常大家會分頭做自己的研究，自由分配到實驗室的時間，自主完成自己需要做的事情。

機器人測試

機器人進入實測階段時，是大家又愛又怕的階段，因為機器人發生的各種狀況，都可能為研究生帶來各種程度大小不同的悲或喜。

機器人技術傳承

但每個實驗室的機器人都是由老師帶著好幾代的研究生，不斷研發與改良而來，雖然我們看到的只是一個機器人，卻是凝聚了好多人的心血，充滿傳承意味的成果啊。

機器人研發直擊

當一個機器人可以走出實驗室，真正跟使用者開始產生互動，這之間從設計、製造，到實際可以應用會經歷哪些過程？又會遭遇到哪些困難？讓我們前進工研院，以輕型行動輔助機器人團隊為例，看他們努力不懈的奮鬥過程。

團隊成員

共有12人，包含了機器人專業的工程師、物理治療師，以及傷友。

a 機器人研發

用機器人專業以及自己摸索的知識，
花費五個月時間打造出機器人。

b 應用測試發

打造出機器人之後，由團隊成員自己
測試一個月。

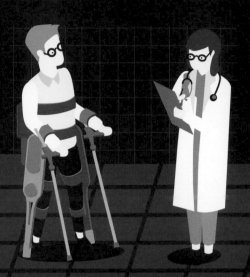

c 傷友加入試用

團隊去拜訪脊髓損傷基金會了解傷友
需求，開始跟傷友合作。傷友提出使
用回饋，團隊再進行改良。這個時候
他們內心最擔心的是，傷友實際的使
用結果跟團隊當初的設定不太一樣，
因為每位傷友的生
理條件不一樣，需
要增加機器人
支撐強度。

d 調整後再測試

改良後，每一周都到台大的復健室在
傷友的協助下進行測試。一直到現
在，雖然已經發展很完善，實現讓傷
友站起來的夢想，但團隊仍在努力不
懈的測試與改良中。對他們而言，看
到傷友滿意的微
笑，那就是給他
們最棒的鼓勵。

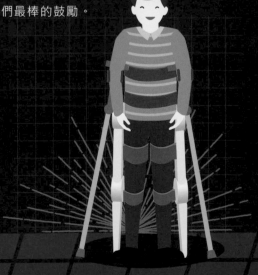

e 仍在克服中的困難與感想

機器人的研發需要投入很大量的資源，不僅是工研院團隊，其實每個實驗室也都面臨著
研究經費的問題，找研發預算，應該是每個機器人研究者最頭痛的地方。對有心投入機
器人研發的人，工程師們認為，雖然製作的是機器，但想幫助人的初心很重要，秉持著
這樣的念頭就會持續擴散，就能讓科技成就更多的好事!!

機器人的未來與挑戰

自從1961年，第一台工業機器人正式開始投入工業生產之後，短短的數十年間，各式各樣的機器人已經陸續走出實驗室，慢慢的出現在我們生活的周遭，人與機器人共同生活的時代，似乎正在不遠的未來。

人類社會的好幫手

機器人是為了服務人類而存在，一直到現今，這個目標還是始終如一。機器人科技確實也在許多地方，大大改變了人類的生活。工業機器人不斷進化，儼然已經成為下一次工業革命的關鍵角色。而福島核災之後，救災機器人受到更大的注目，搶救更多的人命，避免災害擴大，希望就寄託在他們的身上。行動輔具機器人、導盲機器人、義肢機器人更是造福了身體障礙的傷友，讓他們重新獲得行動的自由、生活的自主與人生的盼望。服務型機器人，則在我們邁向高齡社會的同時越顯重要，陪伴、協助年長者的生活起居等等，被賦予極高的期望。

但是，當人們對機器人有著更多期待與想像的同時，機器人也開始面臨著許多的挑戰，人與機器人該怎麼互動？機器人的發展是否會被應用到危害人類的方向？會不會有一天人類開始無法控制機器人的行為？已成為機器人研發者不能忽視的問題。

出事了，誰該負責？

機器人實際應用到人類社會中，最直接的問題就是，機器人的安全問題。機器人不管智慧多高，畢竟還是一台機器，凡是機器就可能會有瑕疵或者故障產生，人機互動也就會存在一定的風險。以最近當紅的無人車來看，會自動駕駛、自主避障具有人工智慧的無人車，也是機器人家族的一員，雖然許多研究人員認為，由人工智慧控制的無人車比起由人所駕駛的車子來得安全。但隨著無人車實際上路後，開始發生大大小小的交通事故，甚至2016年5月還造成一起死

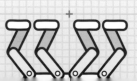

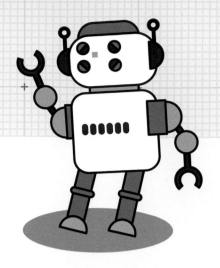

亡車禍，無人車的安全問題浮上台面，另一方面，責任歸屬也令人頭痛。當機器人出事了，到底誰該負責？而機器人的使用，又該如何規範？當機器人走進人類社會時，所引發的問題便不再只是研發者或是機器人學界的問題了。

機器人倫理

2002年，機器人專家Gianmarco Veruggio創造了機器倫理學（roboethics）這名詞，目的就是希望規範機器人在人類社會中所該扮演的角色，避免人類有一天被自己所設計出來的機器人反撲。而機器人專家會有這樣的擔心，也不是沒有道理，不過問題不在機器人身上，而在人類身上。

2015年七月，霍金、馬斯克、蘋果電腦共同創辦人沃茲尼亞克等超過一千位人工智慧和機械人領域相關研究者，聯合發表一封公開信，希望聯合國能禁止各國研發殺戮機器人，因為這樣的機器人已經實際被應用在戰場上。當機器人被用作傷害人類的武器時，關於機器人倫理的呼聲就愈來愈高，但是怎麼制定規則，又怎樣讓程式去執行這些規則？都是目前還尚待解決的大問題。

不過，反過來說，機器人之所以需要思索這些議題，在於機器人雖然是機器，但相對於電視、冰箱這樣的機器，機器人又充滿獨特性，對於人而言是一種特別的存在。未來要怎麼創造一個人機和平共處的社會，就需要對機器人多一點人性的思考，就像我們前面所介紹的這些實驗室中誕生的機器人，研發的起點都是始於想要解決問題，讓人類社會變得更好的想法，朝著這樣的方向，機器人的研究與使用，就不會出現我們經常在科幻電影中看到的那些可怕結局，反而能為我們帶來更便利與無限想像的未來。

歡迎光臨機器人時代！
— 百變智慧機器人

作者　　　　　周彥彤
協力指導　　　楊谷洋
資訊圖表設計　RE-LAB
漫畫創作　　　好面（iimAn）／友善文創
美術設計　　　陳宛昀
責任編輯　　　周彥彤、呂育修

發行人　　　　　　殷允芃
創辦人兼執行長　　何琦瑜
總經理　　　　　　王玉鳳
副總監　　　　　　張文婷
主編　　　　　　　林欣靜
版權專員　　　　　何晨瑋

出版者　　　　親子天下股份有限公司
地址　　　　　台北市104建國北路一段96號11樓
電話　　　　　(02)2509-2800　　傳真(02)2509-2462
網址　　　　　www.parenting.com.tw
讀者服務專線　(02)2662-0332　　週一～週五：09:00~17:30
讀者服務傳真　(02)2662-6048
客服信箱　　　bill@service.cw.com.tw
法律顧問　　　瀛睿兩岸暨創新顧問公司
總經銷　　　　大和圖書有限公司　　電話：(02)8990-2588

出版日期　　　2016年9月第一版第一次印行
　　　　　　　2018年9月第一版第二次印行
定價　　　　　420元
書號　　　　　BKKKC055P
ISBN　　　　　978-986-93545-6-1（精裝）

本出版品獲文化部補助發行　文化部 MINISTRY OF CULTURE

訂購服務 ─────────────
親子天下Shopping　　shopping.parenting.com.tw
海外‧大量訂購　　　parenting@service.cw.com.tw
書香花園　　　　　　台北市建國北路二段6巷11號
　　　　　　　　　　電話(02)2506-1635
劃撥帳號　　　　　　50331356 親子天下股份有限公司

親子天下
Education‧Parenting
Family Lifestyle
www.parenting.com.tw

國家圖書出版品預行編目(CIP)資料

科學築夢大現場. 2：歡迎光臨機器人時代！：百變
智慧機器人 / 周彥彤作. -- 第一版. -- 臺北市：親
子天下, 2016.09
　　面；　　公分
　　ISBN 978-986-93545-6-1(精裝)
　1.科學 2.機器人 3.通俗作品

307.9　　　　　　　　　　　　　　　105016104

作繪者介紹
撰文
周彥彤

擔任十多年童書編輯，喜歡文字，從小理科不好，
近年卻頻頻與科學題目交手，一腳踏進廣闊的理科
世界，意外從中獲得極大樂趣，愈做愈有興趣。曾
任《大人的科學》中文版編輯、企劃、編輯撰寫
《超科少年SSJ》系列

插畫
陳宛昀

插畫及平面設計工作者，插畫作品常見於雜誌、書
籍與商業設計中。和兩隻貓、一隻狗及家人一起生
活在高雄。

漫畫
好面（iimAn）

個人主要作品為與惟丞老師合作，自遊戲改編漫畫
的《機甲英雄FIGHT!》。擔任過2013年台灣漫畫博
覽會主視覺設計繪師。2014年與2015年連續受到
SCET指定擔任《PSVita TV》與《ENJOY PS Plus!!
》廣宣主題漫畫的製作。2015年接受親子天下委託
，與彭傑一同製作科普漫畫《超科少年SSJ》。以
前念書時科學相關的成績不佳，現在卻開始畫科學
漫畫，不過也因此學習了不少，或許這也算是某種
轉型正義（？）